ANCORA Y DELFÍN, 142

JUAN GOYTISOLO — EL CIRCO

JUAN GOYTISOLO

EL CIRCO

EDICIONES DESTINO
TALLERS, 62 - BARCELONA - 1

Primera edición: diciembre 1957
Segunda edición: julio 1963

Núm. de registro: 12.628 - 58
Depósito legal B. 4.328 - 1963
PRINTED IN SPAIN

Para MONIQUE

El vano ayer engendrará un mañana
vacío y ¡por ventura!, pasajero.
Será un joven lechuzo y tarambana,
un sayón con hechuras de bolero.

ANTONIO MACHADO

PRIMERA PARTE

Eᴸ pregonero apareció por la esquina de la avenida y se dirigió hacia la alameda de los plátanos. Al oír la corneta los vecinos abandonaron sus ocupaciones y se asomaron a las puertas y ventanas de las casas. Todo el mundo aguardaba con impaciencia el programa anunciador de los festejos, y los chiquillos que volvían de la escuela manifestaban su regocijo con aplausos.

Elisa se echó un jersey sobre los hombros y abrió la ventana de par en par. El pregonero era un hombre enorme, de casi dos metros de altura y, como para dar realce al acto, lucía un uniforme de gran gala: chaqueta y pantalón de pana, sombrero australiano marrón y botas de color a media pierna. Al llegar a pocos metros de la casa, se detuvo, sacó el bando del alcalde del bolsillo y se aclaró ruidosamente la garganta. Al punto, los rumores de las distintas conversaciones se extinguieron. Un chiquillo ensayó un comienzo de abucheo, pero se detuvo al darse cuenta de que nadie le secundaba.

—Atención —dijo el hombre, paseando una majestuosa mirada a su alrededor—. Atención—. Sostenía el pliego de papel entre los dedos y lo desdobló con minuciosidad estudiada. — Por orden del Excelentísimo Ayuntamiento se hace saber que mañana, día veintinueve de noviembre, fiesta de San Saturnino, santo patrón de la villa, regirá en todo el término municipal de Las Caldas el horario correspondiente a los días festivos, siendo sancionadas las infracciones de acuerdo con las disposiciones señaladas en edicto de dieciséis de julio último...

El pregonero interrumpió la lectura unos segundos para aclararse de nuevo la garganta mientras, a su alrededor, se agrupaban sigilosamente otros niños, y las personas asomadas a las puertas y balcones emitían comentarios en voz baja.

—Con el fin de conmemorar debidamente dicha festividad, el Excelentísimo Ayuntamiento ha establecido un programa de festejos cuyo horario es el que sigue:

A las diez: Misa solemne en la Iglesia Parroquial oficiada por el Magistral del Cabildo Catedralicio, reverendo Dr. Sevilla, en representación del Excelentísimo Sr. Obispo.

A las once y media: Imposición en el nuevo Hogar-Asilo de las Medallas del Mérito a la Vejez, por la presidenta del Centro Benéfico, en presencia del delegado gubernativo.

A las doce: Audición de sardanas en la plaza Mayor a cargo de la Cobla Principal de Santa Clara.

A las tres: Encuentro de fútbol entre el Club Deportivo de Las Caldas y una selección regional.

A las cuatro y media: Inauguración de la nueva ermita de San Saturnino, Procesión y Rosario.

A las siete, en el Casino, audición de sardanas y baile.

A las once, igualmente en el Casino, Gran Baile de Gala.

En representación del Excmo. Sr. Alcalde, el Secretario don Pedro Gaitán Márquez.

El pregonero guardó el bando en el bolsillo y reanudó calmosamente la marcha. Desde la ventana, Elisa lo vio descender calle abajo, orgulloso como un Gulliver en medio de su corte de chiquillos con su flamante traje de pana. Al llegar al Paseo se detuvo a liar un cigarrillo y torció hacia la izquierda, por la amarilla alameda de plátanos.

Los vecinos asomados a la calle regresaron lentamente a sus casas. Elisa permaneció durante unos minutos con la vista perdida en las vedijosas hilachas de nubes que se extendían en el cielo. La mayoría de los edificios de la calle eran de un solo piso y estaban enjalbegados de cal y, ahora, como si hubieran retenido todo el día la luz del sol, brillaban con una fosforescencia extraña.

Acodada en el polvoriento pretil oyó de nuevo el lamento de la corneta, lejos, mucho más lejos que antes: al menos en el cruce del Paseo de San Pablo o quizá delante de la parroquia, al final de la escalinata. Luego, cobrando conciencia del frío, retrocedió con un movimiento brusco y ajustó cuidadosamente la ventana.

Después de dos años de estancia en Las Caldas se sabía de memoria el programa de las fiestas: por la mañana, sardanas y Oficio; por la tarde, más sardanas, procesión y baile.

Sin tomarse el trabajo de cerrar los postigos, continuó sus labores de bordado.

Durante toda la tarde había permanecido allí, junto al brasero, atenta al juego de las agujas, adormecida suavemente por el reflejo del sol en los cristales. A las cuatro y media se había presentado en el piso una delegada del Centro Benéfico para leerle un aviso de la Junta por el que se le concedía el alto honor de formar parte de las damas que ocuparían la tribuna en el acto de la imposición de medallas a los viejos.

—La ceremonia promete ser magnífica — dijo la señorita Elvira —. Nuestra presidenta me ha encarecido vivamente que viniese a verla y le suplicara su personal asistencia al acto.

Luego, a las cinco, había recibido la visita de dos acreedores de Utah: el mozo del *Refugio del Pescador* y el hombre encargado del estanco. «Mi marido está fuera — les dijo —. Hace más de una semana que fue a Madrid y no volverá hasta dentro de unos días.» Pero ellos habían fingido no oírla y le tendieron los recibos con las sumas adeudadas.

—Ya les he dicho que está en Madrid — repitió —. Precisamente ha ido a gestionar un asunto con mi suegro.

Y como los dos hombres seguían allí plantados, se había visto obligada a recurrir a un medio ya antiguo: «Si tanta prisa tienen en cobrar», dijo mostrando las desnudas habitaciones del piso, «llévense lo que les plazca», ante lo que no habían tenido otro remedio que callar y habían abandonado la casa refunfuñando.

Por eso, cuando el timbre sonó por tercera vez, Elisa aguardó antes de incorporarse. Durante unos segundos estuvo tentada de no responder. La idea de enfrentarse a otra visita parecida, le producía una inmensa fatiga. Al fin, decidiéndose, se puso en pie.

Desde el pasillo oyó la voz de la niña recordando a sus amigos que al día siguiente daría la merienda. Elisa se arregló el pelo con los dedos y espió por la mirilla antes de abrir. En la escalera había un hombre vestido de oscuro con una gorra de plato.

—Tenga — le dijo, sacando un papel del bolsillo de la chaqueta — un telegrama.

Ella le dio una peseta de propina y cerró la puerta. Con el telegrama en la mano se dirigió al comedor. Luz Divina había acabado de telefonear y jugaba en el jardín con Nenuca. Elisa eligió la única silla sana y se sentó frente a la chimenea.

El telegrama no podía ser más que de Utah, y el corazón le palpitó mientras lo abría. Hacía una semana que había salido de casa y nada sabía de él desde entonces. Antes de leer, esperó a que su respiración se normalizara. El telegrama estaba fechado a las tres y decía:

"Peligroso asesino avanza hacia Las Caldas. Abrazos. — UTAH.*"*

Elisa lo repasó varias veces llena de estupor. Como de costumbre, Utah se expresaba a su manera, dando por supuesto que ella entendería. Pero, aquella vez, no había un solo clavo al que agarrarse. Utah no decía una palabra acerca del viaje. El telegrama podía significar tanto que regresaba, como que iba a continuar en Madrid otros ocho días.

Al fin, desistió con un suspiro. Cuando su marido se ponía en movimiento no se sabía jamás dónde le llevarían sus pasos. Un azar cualquiera le señalaba el camino y él se limitaba a seguir sus propias huellas. En el curso de los últimos viajes, Elisa había recibido telegramas de Galicia, Marruecos y Andalucía.

En otro sentido, el telegrama podía indicar también un fracaso. La fabulación era su reflejo de defensa ante las situaciones de peligro. Cuando se sentía amenazado, se evadía. Algo más fuerte que él le obligaba a escudarse en una sucesión alocada de antifaces.

Elisa dejó el telegrama en la mesa y se acodó en

la baranda de la galería. El jardín se disolvía lentamente en la penumbra. Luz Divina y Nenuca charlaban sentadas bajo el árbol:

—Pues a mí me han dicho que nadie le quería
fiar, que se ha ido a Madrid a pedir limosna.

—¡Oh, qué mentira! — repuso Luz Divina —. Seguro que acabas de inventártelo.

Hubo un momento de silencio durante el que las
nacientes tinieblas del crepúsculo parecieron espesar-
se y la voz de Nenuca dijo:

—No sé... Me gustaría saber qué hace en este
momento.

Y Elisa se retiró a la cocina, confusa, como si acabaran de descubrirle algún secreto, porque también
ella, pese a los buenos propósitos de no preocuparse
demasiado por Utah, renovados a lo largo del día
(«Su padre no puede abandonarle así como así.»
«Siempre encontrará amigos que le ayuden», etc.),
pensaba precisamente en ello.

* * *

Aquella tarde Utah hizo dos cosas que había prometido no volver a hacer: la primera, fue escribir
una carta a su padre, llenándole de insultos; la segunda, beber unas copas de coñac para entonarse.

Al salir del hotel, el conserje le había dado la
factura. Antes que pagarla, Utah decidió sacrificar los
maletines. En Alcalá encontró un taxi desocupado y
dio la dirección de su hermano en El Viso. Pero, al
ver quien era, la doncella se negó a recibirle. Ante su
insistencia volvió con un sobre de Martín, diciéndole
que el señor acababa de marcharse.

Utah cogió las mil pesetas del sobre y empezó a
recorrer los cafés de la Granvía. Tenía la vaga im-

presión de que la suerte le preparaba alguna trampa y decidió ahogar su malhumor de la mejor manera posible. La ciudad estaba llena de gente campechana y mujeres hermosísimas. Al fin, cansado de dar vueltas, entró en un salón de baile.

Allí, entregó su abrigo al hombre del guardarropa y se dirigió pausadamente hacia la barra. En el extremo había una mujer sola. Utah pidió dos copas de Carlos I. La mujer se volvió, sorprendida, a darle las gracias. Utah la saludó con una leve inclinación. Comenzaba a ver las cosas como a través de unas gafas de colores y sentía la imperiosa necesidad de *ser brillante*. Con un signo, indicó a la mujer que esperase y se fue a comprar una flor al otro lado de la sala.

Cuando volvió, las parejas abandonaban el redondel de la pista y un foco centraba la atención del público sobre la puerta de la izquierda. La orquesta atacaba un ritmo ligero que una mujer, a su lado, bautizó: *Seré tuya hasta el alba*. En la sala, unas lamparillas de bronce con tulipas de vidrio, nimbaban las mesas de un brumoso halo verde. Para ir al bar era preciso dar un rodeo hasta el pasillo y bajar el tramo señalado por una hilera de azuladas linternas.

Desde la palmera artificial de la columna, Utah sonrió a la florista. Llevaba la rosa en la mano, sosteniéndola delicadamente entre los dedos y, al cruzar frente al vestíbulo que conducía a la salida, se contempló en el espejo. Difuminado por la penumbra, su rostro le sedujo. Con el pelo echado atrás, la barba en punta y las cejas hacia arriba, era como un oficial de juguete, espadachín y aventurero.

Luego la cantante apareció en el campo visual del espejo, soberbia bajo la deslumbradora luz de los focos. Sorprendido por los aplausos, Utah se volvió para ver mejor: la mujer evolucionaba en la pista como un insecto aturdido por la luz, con un traje de lentejuelas con falda de tiras, que emitía destellos preciosos.

Por un momento se imaginó que los aplausos se dirigían a él y no a la artista, y giró sobre sí mismo en una parodia cruel, los brazos bien en alto.

—Gracias, gracias.

Pero casi en seguida, se acordó de los consejos de Elisa y murmuró:

—Imposible: no puedo prodigarme.

Los senos en punta de la mujer parecían presidir la reunión. Haciendo un esfuerzo, Utah humedeció sus labios con la lengua y se dirigió como un somnámbulo al lugar donde su amiga le aguardaba.

—Toma, encanto — dijo alargándole la rosa —. Un pequeño obsequio.

Con una sonrisa, la mujer cambió la dirección del taburete para que él la pudiera prender en el vestido.

—Creí que se había ido usted — le dijo, mientras se inclinaba.

Utah fingió pasar por alto la observación y encargó otro coñac al de la barra.

—¿Es la primea vez que viene aquí?

—Sí, la primera.

—No sé por qué, juraría que le conozco de algo.

—Es muy posible.

—No vive aquí, ¿verdad?

—No.

—¿Vive usted lejos?

—Depende. Cada semana cambio.

—¿Le gusta viajar?

—Quiá — repuso con sorna —. Me echan porque no pago.

La mujer rompió a reír y le rozó ligeramente la mano.

—Es usted un tipo extraño — dijo —. Por un momento creí que hablaba en serio.

Utah le obsequió con una amigable palmada.

—Trato de olvidar — dijo.

—¿Olvidar?

Como iba a hablar de nuevo, Utah decidió adelantársele: abandonándole la iniciativa, la conversación corría el riesgo de empantanarse.

—En esa vida no se hace siempre lo que se quiere — observó.

—No. Ya se sabe. Yo misma...

—El deber nos reclama cuando menos lo deseamos... Por ejemplo, esta noche quisiera quedarme contigo...

Se sabía contemplado por los oscuros ojos líquidos de la mujer y, con un ademán entristecido, oprimió la copa entre los dedos.

—Pues bien, no puedo.

—¿No puede?

—No, no puedo. Acabo de recibir una orden y debo regresar inmediatamente.

—¿Regresar? — repitió ella como un eco —. ¿Adónde?

—El lugar no te diría nada. Por otra parte — añadió bajando la voz — debo guardar el secreto.

La mujer fue a llevarse la copa a los labios, pero, cambiando de opinión, la dejó sobre la barra.

—¿Es usted militar? — preguntó.

Utah dirigió una mirada en torno, como para asegurarse de que nadie le escuchaba.

—Por favor, no hables tan alto.

Ella se volvió también para atrás, vagamente intranquila.

—¿Cuándo se va usted?

—Esta misma noche.

—¿Por mucho tiempo?

—Eso, en mi profesión, no se sabe nunca... Quizá por unas horas... Quien sabe si para siempre.

Leía en su hermoso rostro el éxito total de la pantomima.

Aprovechando los aplausos, le susurró junto al oído:

—La guerra acaba de estallar en Marruecos.

—¿Cómo?

—Las tribus han bajado de la montaña y han pasado a cuchillo a cinco de nuestros tabores. Los últimos informes de que disponemos elevan a doscientos el número de desaparecidos.

—¿Será posible? — exclamó ella, aturdida —. Esta tarde, en el café he dado una ojeada a los diarios. No he visto... No decían nada...

—Censura — repuso él simplemente.

La mujer le miraba a los ojos, como dudando aún de sus palabras.

—Tengo un amigo allí — dijo al fin, estremeciéndose —. Un chico de veintidós años, un soldado... El lunes recibí carta suya y...

—La sublevación empezó hace doce horas. Para ser exacto, a las nueve en punto de la mañana.

—¡Dios mío, Dios mío! — dijo ella.

Utah avisó al camarero con un signo y encargó otras dos copas de coñac.

—En fin, mejor no preocuparse. Yo mismo debo irme esta noche y, ya ves, tan contento.

—Usted es un hombre bregado, con experiencia, pero el chico...

—Si me das su nombre y dirección, quien sabe si podría ir a verle.

—¿Sí? — El rostro de la mujer expresó una gratitud instantánea —. ¿De veras?

—No te aseguro nada, desde luego... En estos casos...

—Oh, por favor, se lo ruego. Es un buen amigo mío y no quisiera...

—Está bien, está bien... Miraremos de hacer algo por él... Enviarle a la Península, por ejemplo.

Generoso, eso es lo que era. En otra ocasión, subiendo por el viejo funicular del Tibidabo, había abordado a su conductor: «Buen hombre, la Compañía va a desaparecer. Prepárese, porque dentro de poco le echarán a usted a la calle». El empleado le miró, lleno de estupor, pero, confundido por la seriedad de su rostro, acabó por darle crédito. Luego de haberle llenado de miedo, Utah le prometió trabajo en una empresa imaginaria. «Pronto recibirá usted noticias mías». Concluida la farsa, dejó que el hombre le abrazara como a un salvador, con los ojos llenos de lágrimas.

Ahora, también, la mujer le cogió impulsivamente de la mano y él la dejó hacer, adormecido, como en sueños.

—Voy a escribirle sus señas ahora mismo — le oyó decir, pasado un buen momento.

Acodado en la barra, Utah la observó mientras escribía en una hoja de libreta.

—Antonio Fernández Heredia, Segundo Batallón de Infantería. Melilla.

—De acuerdo —. Utah guardó la hoja en el bolsillo —. Me ocuparé apenas llegue.

—Es un chico que vale mucho — se creyó obligada a decir —. Se prepara para ser ingeniero.

—Pierde cuidado.

Había apurado el coñac de un trago y entornó los

ojos de nuevo. Sin poderlo evitar, su penasmiento recayó en la conversación del mediodía en el despacho
de su padre. «Diez mil. Lo justo para pagar las deudas». «Ya he dicho que no voy a soltarte nada.» «Ocho
mil. Mi última cifra.» «Ni ocho mil ni ocho reales.»
Y como él había tratado de enternecerle con la salud
de Luz Divina, «Cuántas veces tengo que repetirte —
le soltó — que me importa una higa esa niña que
no he visto nunca y que ni siquiera está bautizada».
¡Inmundo bruto! Ya le enseñaría a tener modales.

Con gran delectación se entretuvo en imaginar
toda suerte de males de los que su padre era víctima:
accidentes, atropellos, quiebras e incendios; moribun-
do, reclamaba su presencia para hacerse perdonar sus
injusticias: pero él pasaba de largo, desdeñoso y feliz,
del brazo de Elisa y de la niña.

—¿Está pensando usted en su marcha? — preguntó
la mujer de pronto.

—No... Es decir... Sí...

Divagaba. Mentalmente decidió someter la dis-
persión de sus ideas a una severa disciplina.

—Espero que cuando llegue, la situación se habrá
aclarado — dijo por decir algo.

—¿Dónde le envían?

—A primera línea.

Hubo un momento de silencio durante el que Utah
paladeó el efecto producido: antes de que se desva-
neciera, sacó la cartera y le mostró una fotografía.

—Mira. En Melilla.

La mujer la cogió con un ademán cuidadoso.

—¿Eres tú? —dijo.

El camarero le sirvió otro coñac. Después de be-
berlo, Utah tuvo la sospecha de que el hombre se
había dado cuenta de su juego. En sus ojos, brillaba
un asomo de sonrisa.

—¿Cuánto le debo a usted?

Hubo una breve pausa, durante la que Utah le consideró con desdén.

—Doscientas diez, señor.

La mujer quiso decir algo, pero él la interrumpió con brusquedad.

—Lo siento, preciosa — dijo consultando la esfera del reloj —. No puedo perder ni un minuto.

La atmósfera del local le repugnaba. Con un ademán desprendido, dejó tres billetes de cien sobre la barra y, sin preocuparse ya de su parte, se dirigió al guardarropa contoneándose.

—*Mon pardessus. My coat. Mon proteçao. Il mio pastrano.*

—¿Señor?

—*Vite. Vite. Quick. Presto.*

—No le entiendo, señor — murmuró enrojeciendo el hombre.

—Le he dicho: *She is not beautiful, but she is interesting.* En fin: que me llame usted al portero.

Su amiga venía por el pasillo con los billetes del cambio, pero él la inmovilizó con un ademán.

—Quédeselos usted. No los quiero.

Luego, cuando el portero llegó, Utah le dio desdeñosamente la espalda.

—Telefonea a una casa de vehículos de alquiler — dijo cogiendo familiarmente al hombre por el codo—. Mi padre la acaba de palmar y necesito llegar a Las Caldas antes de que empiece a enfriarse.

* * *

La Administración de la Compañía de Gas y Electricidad de Las Caldas acaparaba una buena parte de la jornada habitual de don Julio. Todos los días, a las nueve en punto de la mañana, un taxi lo dejaba ante la puerta de la fábrica, en cuyo interior permanecía hasta la hora de la comida. A las cuatro reanudaba el trabajo en su propia casa y no lo daba por acabado hasta el momento de ir al Casino.

Cualquier alteración de ese horario, por pequeña que fuese, le causaba placer. Por eso, cuando aquella tarde alguien hizo sonar el timbre, don Julio suspiró lleno de alivio. La criada había ido a comprar al pueblo y él mismo acudió a abrir la puerta.

—¿Don Julio Álvarez?

—El mismo.

—Soy Pablo Martín, el hijo de Elpidio, el del *Refugio*.

Don Julio observó unos segundos al chico por encima de las gafas. Lo había visto alguna vez en el *Refugio* y lo encontró más delgado. Pablo era pequeño y moreno, de ojos oscuros y expresivos. Inmóvil enfrente de él, ofrecía un aspecto tímido, casi desamparado.

—¿El hijo de Elpidio? — cortésmente se apartó para hacerle sitio —. Pasa, hijo mío, pasa.

—Mi padre me ha dicho que me esperaba usted... Es por el asunto de la beca...

—Sí, sí, ya recuerdo. Ven, entra... Afuera hace un viento terrible.

Precediéndole dos pasos, don Julio lo condujo hasta el despacho.

El chico le siguió con aire cohibido. Su mirada recorría inquietamente el mobiliario.

—Pasa. Justamente acabo de encender la chimenea.

La hacía funcionar siempre, incluso en verano. Las llamas del hogar llenaban la habitación como de vida. Sin dejar de sonreír, se acomodó en el sofá. El muchacho vacilaba con un paquete de libros en la mano.

—Puedes dejarlos ahí mismo — dijo al ver que se dirigía hacia la mesa del despacho.

—Oh, no es ninguna molestia, gracias—. Los depositó cuidadosamente en una esquina y aguardó para sentarse una señal de don Julio.

—De modo que eres el chico de Elpidio... Siéntate, no hagas cumplidos... Tu padre ha trabajado en esta casa más de doce años. Recuerdo que, cuando entró, acababa de hacer el servicio. Aún no conocía a tu madre. A tu madre la conoció mucho después, durante los años de la República. Parece que fue ayer cuando se casaron —. Se quitó las gafas y las limpió con un pañuelo —. ¿Qué edad tienes ahora?

—Diecisiete. Casi dieciocho años.

—Sí, eso es. Cuando naciste yo estaba fuera. Debió ser durante la guerra.

—En mil novecientos treinta y ocho.

—Durante la Revolución — explicó don Julio, volviéndose a poner las gafas — tuve que huir del pueblo. El mismo día que estalló, los rojos enviaron una patrulla a buscarme. Si me llegan a pillar, a estas horas no estaría con vida. Tú, que eres joven, no puedes imaginarte aquella época.

—Oh, sí — dijo Pablo, carraspeando —. Mi padre me habla muy a menudo.

—Incendios, robos, asesinatos... La gente honesta no podía vivir tranquila.

—Mi padre cuenta, a veces, que le tuvo dos días escondido.

—Elpidio ha sido siempre un hombre de pro y no quiso ensuciarse las manos... ¡Ah, los chicos de tu edad, deberíais dar gracias a Dios, de no haberos tocado vivir aquellos tiempos!...

Siempre que podía, don Julio prevenía a la juventud contra los peligros de un extremismo fácil. Para ello contaba con varios ejemplos preciosos de lo ocurrido en zona roja. Aquella vez explicó las incidencias de su dramática huida a Francia. Pablo le escuchó con gran atención. Al acabar, don Julio cogió dos troncos de la leñera y los puso sobre los que ardían, con ayuda de las tenazas.

—Pero, en fin, eres demasiado joven y todo esto te coge muy lejos... El otro día me encontré con tu padre y me dijo que querías verme.

—Sí — explicó Pablo tosiendo de un modo breve y seco —. Así se lo tuve que prometer. Yo nunca me hubiera atrevido a molestarle, pero él no paraba de decírmelo: ve a explicárselo a don Julio, pásate por casa de don Julio, y tanto y tanto me incordió que, ya lo ve usted, he venido.

—Pues has hecho bien — aprobó él, complacido—. En esta vida necesitamos todos unos de otros... Tanto los pobres como los ricos. Los de arriba como los de abajo...

—Yo no acababa de decidirme; pero ya sabe usted lo tozudo que es mi padre; hasta que se sale con la suya, no para.

—Elpidio me conoce mejor que tú, eso es todo... Si me hubieses tratado lo que él...

—Total, que esta mañana a la hora de comer me dice: vete a ver al bueno de don Julio y le cuentas lo que ocurre con la beca... Si te da vergüenza ir solo, iré contigo... Ya verás como él nos lo arregla.

—Actualmente, como debes saber, no ocupo ningún cargo oficial en el Ayuntamiento — dijo don Julio, entrelazando las manos —, pero nunca me faltan buenos amigos, honradas personas dispuestas a ayudarme...

El chico aguardó unos segundos antes de proseguir, la vista fija en el dibujo caprichoso de las llamas.

—No sé si sabe usted —dijo al fin—, que, hace dos años, me dieron una beca para la Escuela de Estudios Industriales. Una beca de esas pequeñas, para matrículas y libros —volvió a toser—; pero este otoño...

—Ah, sí, ya recuerdo... Tu padre me contó que la habían suprimido.

—Sí, eso es. Cuando fui, me dijeron que el Ayuntamiento no la había renovado y que, si quería seguir el curso, papá debía costearlo.

—¿No te dieron ningún suspenso en junio?

—No, ninguno.

—¿Ni alguna mala nota de conducta?

—Al contrario.

—Qué extraño —dijo don Julio, acariciando su mal afeitada barba.

—En casa guardo aún las papeletas.

—Vaya, vaya...

El secretario debía un montón de favores a don Julio. Mentalmente, decidió telefonearle a su casa.

—¿Cuándo empieza el cursillo? —preguntó.

—De aquí a tres días.

—Bien. Intentaremos arreglarlo.

El chico volvió a toser con tal violencia que tuvo que recurrir al pañuelo. Don Julio lo examinó con inquietud por encima de las gafas.

—¿Estás acatarrado? —dijo cuando Pablo pareció recuperarse.

—No, no es nada —balbuceó el chico—. Afuera he pillado un poco de frío.

—Pues tienes muy mala cara... Te lo he notado al entrar, pero no he querido decírtelo.

—Debe ser el viento... Mientras subía.

—¿No quieres tomar nada?

—¡Oh, no, no se moleste! —Volvió a toser con mayor violencia—. En fin, si tiene usted un comprimido de aspirina...

—Nunca me separo de ella —dijo don Julio, sacando un tubo del bolsillo.

Tenía un irresistible horror a las enfermedades e iba siempre con una verdadera farmacia encima.

—Si no fuera abusar de su bondad —dijo el chico con una voz algo forzada— la tomaría con un poco de agua.

—No faltaba más.

Don Julio se dirigió a la estantería de la izquierda de la chimenea. Allí, como siempre, la criada había dejado una bandeja, un vaso y una jarra.

—Disuélvela un poco antes de beber —dijo entregándole la pastilla.

—Gracias —repuso Pablo, masticándola como con rencor—. Muchas gracias.

Transcurrió un momento durante el que ninguno de los dos dijo una sílaba. Luego, don Julio arrojó otros dos leños al fuego.

—¿Te duele la cabeza?

—No, señor. Ya le he dicho que no es nada.

—Con un viento como el de hoy, no deberías haber salido.

La posibilidad de que pudiera contagiarle, le alarmaba a pesar suyo. Por lo demás, el chico parecía de poca salud. Don Julio observó que se removía en el asiento con manifiesto nerviosismo.

—Cuando llegue a casa diré a mamá que me prepare un té caliente.

—Sí. Casi será mejor que vuelvas otro día. Por las tardes suelo quedarme aquí. Yo ya me habré ocupado de tu asunto y entonces charlaremos con más calma.

Lleno de alivio le acompañó hasta el recibidor y

cerró la puerta. Lentamente regresó a su mesa de trabajo.

Quedaban todavía por revisar las cuentas de la semana. Pero la visita le había llenado de inquietud y, pese a sus esfuerzos, no pudo fijar la cabeza.

Entonces, don Julio escribió en un pedazo de papel: «*Hablar Secretario beca*», y telefoneó al garaje inmediatamente para pedir el taxi de Severino.

* * *

Que el *Refugio* era un buen negocio como ella decía, todo el mundo estaba de acuerdo. Su techo de alfarje con las maderas borneadas en forma de cuerdas; sus paredes adornadas con nasas y remos; su pozo-bar provisto de toda clase de bebidas, tenían sin duda un valor. Aquel año, en especial, los turistas habían acudido como moscas a todas horas del día y él mismo reconocía de buena gana que había obtenido una respetable suma de dinero; pero, aun así, era su único medio de vida y, en el futuro, debían obrar con mayor cautela. En primer lugar, el bar no tenía vida en invierno. En segundo lugar, Pablo seguía sin producir y ello significaba, todavía, la perspectiva de nuevos desembolsos.

El caso contaba, además, con un precedente: dos veranos atrás, Lulú, el mariquita escocés que tanto la divertía, se había largado a su país sin abonarles la cuenta. También entonces ella se había dejado llevar por una de sus corazonadas. Elpidio recordaba perfectamente que, el día antes de darse el piro, quiso dar parte a la Policía y ella se lo impidió. Y, cuando lo hizo al fin, Lulú se había esfumado sin dejar huella.

—Pero el Utah ese —concluyó— no me la va a jugar. Hasta ahora he tenido mucha paciencia con él

y ya se me ha acabado. Si el domingo próximo no ha
aparecido por ahí, me iré directamente al cuartelillo.

Julia le escuchaba en silencio, ocupada en sus labores de calceta. Como siempre que él le hacía una
observación, adoptaba un aire ausente, como lejano.
Seguramente, para no variar, continuaba preocupada
por su padre. Su obstinación en hacerle asistir al Homenaje a la Vejez contra viento y marea, no había
hecho más que afirmarse en el curso de la semana.
Julia estaba ansiosa de que el viejo luciera. Sin saber
bien por qué, Elpidio tenía el convencimiento de que
su empeño daría mal resultado.

—Ni tú ni yo somos suficientemente ricos para
poder tolerar a esos sinvergüenzas —dijo aún—. Para
mí, un individuo que no paga, es un vulgar estafador.
Allá se las compongan los que le quieran dar otro
nombre.

La resistencia sorda de su mujer a todo lo que
decía, tenía la virtud de exasperarle. Elpidio llenó de
tabaco la cazoleta de la pipa y hojeó al azar las páginas del libro de cuentas. Iluminada por la nueva
lámpara de pie, la habitación ofrecía un aspecto apa-
cible. Algo más tranquilo, se acodó junto al reborde
de la mesa. Casi al instante alguien abrió la puerta
que comunicaba con el bar.

—Celia —exclamó Julia, contenta de poner fin a
la discusión—. ¡Qué sorpresa!

La muchacha permaneció bajo el dintel, sonriendo
con aire tímido.

—Perdónenme... Quizá estaban ustedes ocupados.

—No, no, pase —invitó Elpidio cerrando el libro—. Al contrario, no hacíamos más que charlar.

—¿Qué nos cuenta usted de bueno, Celia?

—Mi hermana me dijo que si iba al cine dejaría
aquí un recado.

—No. Pues no ha venido.

—Entonces...

—No, no, quédese.

—¿Qué va a tomar usted?

—No sé... Cualquier cosa fresca.

La mujer desapareció por la puerta trasera. Casi al instante se elevó una voz quejumbrosa:

—No iré, no iré y no iré.

—Es el abuelo —explicó Elpidio, volviéndose a sentar—. Julia quiere que vaya al Homenaje a la Vejez y el pobre está muy excitado.

—Cálmese usted, padre —dijo la voz de su mujer—. Ya sabe que el médico le ha dicho que no se ponga usted nervioso.

—No quiero, no quiero y no quiero.

—No sé lo que le pasa hoy —suspiró Julia, reapareciendo por la puerta—. Nunca le había visto tan agitado.

—Quizá sea cosa del tiempo. En esta época, cuando se tiene una edad avanzada...

—Quiá —intervino Elpidio—. Lo que ocurre es que, desde hace meses, se ha hecho amigo de ese borracho medio anarquista que llaman *Canario,* y le ha dado por beber y llevarnos la contra siempre.

—El individuo ese le tiene sorbido el seso —dijo Julia—. De un tiempo a esa parte, el pobre ya no es el mismo. Todo le parece malo, todo lo encuentra mal hecho...

—El domingo pasado, figúrese, no quiso ir a la iglesia. Decía que estaba harto de oír sermones, que él no quería perder el tiempo; y, aunque Julia le rogó y suplicó, no hubo forma de convencerle.

—No puede usted imaginarse el rato que nos hizo pasar: «que no, que no y que no», igual que una criatura.

—Cuando volvimos nos encontramos con que había salido y no supimos de él hasta la hora de la cena.

—¡Dios sabe el susto que nos dio! —suspiró Julia—. Por un momento creíamos que se había ido del pueblo.

—Ahora, con el turismo, le ha entrado la manía de viajar. Dice que está harto de estar ahí... ¡Qué sé yo qué barbaridades!...

—¡Cuando pienso en la pobre mamá! —murmuró Julia, con aire trágico—. Ella que contaba que se casó con él porque era un carlista de los viejos...

—Lo peor es que, con sus ideas, es un mal ejemplo constante para Pablo. Yo, que durante toda mi vida me he esforzado en darle una educación...

—Pablo es lo suficientemente mayorcito para no dejarse influir por él —replicó Julia—. Al menos, así lo espero.

—Hablando de Pablo —intervino la muchacha—. ¿Dónde anda metido?

—No está —dijo Elpidio lleno de satisfacción—. Ha ido a ver a don Julio.

—¿Ah, sí? —murmuró imperturbable Celia.

—Usted verá. El domingo hace quince días vino al bar. Ya sabe usted que tenemos una vieja amistad: puede decirse que durante la guerra le salvé la vida... Pues bien, yo andaba preocupado por eso del chico. Le conté lo que pasaba y me dijo: «Envíemelo cualquier tarde. Veremos lo que se puede hacer.»

—Don Julio tiene mucha mano —observó su mujer de un modo significativo—. Estoy segura de que si se toma interés en el asunto lo arregla en menos de dos minutos.

—Pues claro que lo arreglará; tan cierto como me llamo Elpidio. El chico está cargado de manías y hora es ya de que las pierda.

—Pablo se puso furioso al principio —explicó su mujer—. Decía que ni don Julio, ni nadie, podía hacer nada, y patatí y patatá, hasta que esta mañana, aún no entiendo por qué, cambió de opinión y dijo que iría a verle.

—El chico no es tan tonto y ha comprendido que don Julio puede serle útil. Tener orgullo está bien; pero con orgullo solo, no se llega a ningún sitio.

—Pablo ha tenido siempre un carácter extraño —dijo Julia—. Muchas veces me pregunto a quién ha salido. Desde luego, a nadie de mi familia.

—Son los años, mujer, son los años. También yo a su edad hacía lo mismo.

—Pues a mí —dijo Celia, después de apurar su vaso de Coca-Cola—, me parece un chico muy razonable.

—Claro que sí —se apresuró a decir Elpidio—. Lo que ocurre es que mi mujer lo trata como a un niño, y no se da cuenta de que está hecho ya un hombre.

—También conozco al grupo de sus amigos —prosiguió Celia con una sonrisa—. Son muy simpáticos.

—¡Oh, no los conoce usted bien!... Si tuviera que verlos como yo todos los días...

—La otra tarde hablé con uno... Creo que se llama Atila.

—¡Uf! El peor de todos —exclamó Julia—. A ése ni le quiero ver en casa.

—¿Ah, sí? Lo encontré por el cementerio cuando iba de paseo. Se acercó a saludarme y estuvo muy amable conmigo.

—¡Bah, desconfíe usted! Esa gente de las barracas son una pandilla de tunantes. Si les da usted confianza, podría llevarse algún disgusto.

—¡Oh, no, no creo! El muchacho parece bien edu-

cado. Creo que vive con su madre. Me dijo que su
padre murió durante la guerra.

—Es usted demasiado cándida —dijo Julia—. Los
tipos esos son de la piel de Barrabás... Si se interesan
por usted será por algo.

—¿Por algo?

—El Atila y otro de su grupo se pasearon todo el
verano con una alemana divorciada... Ya se lo puede
usted imaginar: por dinero.

—¡Qué absurdo! —dijo Celia, enrojeciendo hasta
la raíz del cabello—. En mi vida oí nada igual.

—Pues sí, hijita, sí, son unos verdaderos truhanes
—Julia dejó la cesta en el aparador y regresó frotán-
dose las manos—. Yo, en su lugar, procuraría ni saludarles.

Hubo un momento de silencio durante el cual sólo
se percibió la voz irritada del abuelo:

—Pues no iré... ¡Qué carajo!

Luego el mozo asomó su cabeza de tapir y dijo
que era la hora de relevarle.

—Está bien —repuso Elpidio de mala gana—.
Aguárdeme un momento.

Celia aprovechó la ocasión para despedirse.

—¡Uy, me voy a marchar yo también! Si Matilde
pasa por ahí, díganle que ceno fuera y que iré directamente al Gayarre.

Elpidio la acompañó hasta la calle y se acodó en
la barra del bar. A pesar de que era víspera de fiesta,
el local estaba casi desierto. En la barra, una extranjera cuarentona leía el diario ante un vaso vacío de
whisky y, en una mesa, el viejo Filomeno se entretenía haciendo un solitario.

Elpidio volcó la ceniza de su pipa y volvió a llenarla. Conforme esperaba, Julia dejó el comedor y
se sentó en el sillón, suspirando.

—¡Pobre chica! —dijo para iniciar la conversación—. ¿Crees que lo que dicen es cierto?

Elpidio se limitó a responder con un movimiento vago de la mano.

* * *

Pese a lo antiguo de su amistad con Atila, Pablo no había podido acostumbrarse a las riñas de gallos. La ferocidad que los animales ponían en combatirse, el ardor de los espectadores, los goterones de sangre, le producían un asco invencible. Por encima de todo, el espectáculo de su amigo con el rostro tenso, las manos convulsas y los ojos brillantes, le ponía positivamente malo. Inútil hablarle, estirarle del brazo, llamar su atención con un signo. Atila participaba en el combate con los cinco sentidos: las venas del cuello salientes, los músculos del brazo agarrotados, encendiendo, arrojando y encendiendo cigarrillo tras cigarrillo.

Cuando Pablo llegó a la bodega, Atila hacía luchar a «Machaquito» con el gallo de unos gitanos. Juana estaba sentada en el banco del fondo y, al divisarle, se corrió para hacerle sitio; con la cara pálida y un cigarrillo consumido entre los dedos, observaba la riña con una curiosidad fascinada. A su alrededor, los compañeros de equipo de Atila excitaban con sus voces el ardor de su gallo. Arrodillado en la primera fila, Juan de Dios, el bobo, manifestaba su emoción con gemidos.

Los gallos habían retrocedido al mismo tiempo y picaban el suelo como para retarse. Luego, como obedeciendo a una señal, continuaron de nuevo la pelea. Sus cuerpos entrechocaron salvajemente y docenas de plumas volaron en remolino.

—¿Continúas? —preguntó Atila al dueño del otro gallo.

—Sí —dijo éste, limpiándose el sudor con un pañuelo—, ¡qué carajo!

Pablo buscó con la mirada los ojos de su amiga.

—¿Quién es el gitano ese?

—No lo sé —repuso Juana sin volverse—. No lo he visto nunca.

—Parece que lleva las de perder... ¿Cuánto apuestan?

—No sé... Cuando llegué ya habían empezado.

«Machaquito» había acorralado a su rival en un rincón del cuadrilátero y se aplicaba a golpearle en el cuello con un encarnizamiento maligno.

—¿Continúas? —preguntó Atila con sorna.

—Mierda.

—¿Continúas?

—Qué leches ni qué...

—¿Continúas?

—¡Rediez! —gritó el gitano—. Haz lo que tú quieras.

El cuello de su animal sangraba en abundancia: bajo el espolón de «Machaquito» trataba inútilmente de evadirse.

—Toma —exclamó echando un billete en el suelo—. Métalo donde te quepa.

Con un ademán colérico agarró al gallo vencido: su cresta, como la de «Machaquito», era un pobre penacho ensangrentado. En un bolsillo de la pernera tenía un pedazo de algodón y, sin dejar de blasfemar, le hizo una cura de urgencia.

Atila cogió también a su gallo y lo acunó entre los brazos, haciéndole mimos, como a un niño pequeño. Luego le volvió a meter en la jaula y lo confió a la encargada.

—Guárdelo usted por ahí. Después pasaré a recogerlo.

Estaba excitado todavía por la tensión de la riña y se enjugó el sudor con la manga de la chaqueta. Sus compañeros de equipo le habían rodeado, y Ernesto, el portero, le ofreció de beber. Atila echó atrás la cabeza e hizo chascar ruidosamente la lengua. Se mantuvo así, con el porrón alzado, hasta dejarlo vacío. Entonces golpeó en el mármol de la barra y encargó una botella de vino.

—Ten, compadre —dijo, tendiéndola al gitano.

Éste aceptó la invitación con un gruñido. Tenía el rostro brillante de sudor y se sirvió un buen trago. Atila rió de contento y le dio unas palmadas. Los que le acompañaban bebieron también y la botella pasó de mano en mano.

Luego, Atila pareció reparar en él y sus ojos brillaron como de vidrio. Desde hacía un momento, Juana había apoyado una mano en su regazo y él la oprimía entre las suyas. Lleno de pánico, lo vio avanzar con su sonrisa imperturbable, las manos hundidas en los bolsillos.

—¿Qué hay, hermanos?

Debía estar ya algo bebido.

Los abarcó a los dos en un abrazo y les besó ruidosamente en la cara.

—¿Qué os ha parecido «Machaquito»?

Su aliento apestaba a vino. Juana se puso de pie e hizo ademán de marcharse.

—¡Adiós! —dijo a Pablo—. Tengo que volver a casa.

Pero Atila la sujetó por el brazo y la hizo sentarse de nuevo.

—Tú te quedas, muñeca.

Aprovechando el forcejeo, Pablo abandonó furti-

vamente el banco y se instaló al otro lado de la barra,
sobre una pila de cajas de gaseosa.

—Una copa de ron —dijo a la encargada.

La mujer se la sirvió inmediatamente, pero, aturdido aún por lo ambiguo de la escena, Pablo aguardó,
antes de beberla, a que su respiración se normalizara.
A su lado, Ernesto conversaba con unos amigos:

—¿Irás mañana al partido?

—Me asomaré un rato a silbaros.

En el rincón, Atila continuaba aferrando a Juana
por la muñeca. Poniendo atención, pese a la baraúnda
de voces y de gritos, era posible percibir lo que decían:

—¿Irás?

—Me haces daño.

—¿Irás?

—Suéltame.

—¿Irás?

—Te he dicho que me sueltes.

Su amigo la liberó al fin. Juana había bajado la
vista, vencida, y se alisó, confusa, los pliegues de la
falda. Luego recogió el bolso de encima de la repisa
y abandonó el bar con paso vacilante.

Atila permaneció unos segundos inmóvil, contemplándola: sus ojos brillaban como dos escarabajos de
vidrio y el sudor formaba dos círculos oscuros debajo
de su manga. Lentamente se dirigió hacia él, las manos hundidas en los bolsillos, interrogándole con los
ojos.

—¿Qué hay? —formuló al fin.

—Ahora mismo vengo de su casa.

Sin que mediara acuerdo, se sentaron en la mesa
del rincón, huyendo de sus compañeros.

—¿Lo has conseguido?

—El viejo no se ha apartado ni un solo momento... Me ha sido imposible hacer nada.

—¡Imbécil! —dijo Atila con voz silbante.

—He probado dos veces, pero...

—Cierra el pico.

—...no ha habido forma de...

—He dicho que te calles.

Hablaba con aquella voz dura que no hacía distingos entre el desconocido y el amigo, el rival y el compañero... Ahora Atila la empleaba contra él y Pablo sintió que sus mejillas llameaban.

Su amigo permaneció silencioso durante unos momentos. Después la mano que sostenía el cigarrillo describió un arco y fue a apoyarse suavemente en el hombro de Pablo.

—Te escucho —dijo.

Él le contempló unos segundos aturdidos, sin decidirse a dar crédito a sus oídos.

—Verás... —dijo aclarándose la garganta.

Sin saber por qué, la tarea de resumir, de pronto, en unas pocas palabras, las incidencias de la visita, se le antojó terriblemente difícil.

—Cuando llamé él mismo fue a abrirme y me hizo pasar a su despacho.

—¿Estaba solo?

—Sí... Al menos me pareció que no había nadie... Su despacho es la primera habitación entrando a la izquierda... Al otro lado está el comedor y, al fondo, la escalera.

—Abrevia.

—Nada más entrar, me di cuenta de que era la habitación de que mi padre me hablaba: el armario, el escritorio, la chimenea... Al dejar los libros pude ver un momento la caja de caudales...

—¿Qué clase de caja es? —preguntó Atila atusándose el bigote—. ¿Empotrada? ¿Suelta?

—Suelta, cuadrada, más bien pequeña... Yo aguardaba la ocasión de deshacerme del viejo y hurgar en los cajones del despacho, pero no hubo manera.

—¿No ensayaste el truco de la tos?

—¿Que si lo ensayé? —exclamó Pablo con voz amarga—. Estuve tosiendo durante más de media hora. Por poco echo los hígados fuera...

—Y bien —le cortó Atila, impaciente—. ¿No dio resultado?

—¿Resultado? —ironizó ,Pablo—. El tipo me preguntó qué me pasaba. Le expliqué que andaba algo enfermo y necesitaba una aspirina. «¿Una aspirina?» —dijo—. «Casualmente no me separo nunca de ella.» Y zas, va y se la saca de la chaqueta. «La tomo con agua, señor mío», le dije yo. Pero el tipo parecía haberlo previsto todo. Se levanta, va al armario y vuelve con una jarra... Si a esto no le llaman mala leche...

—Espero que, al menos, no le hiciste sospechar nada —dijo Atila—. ¿De qué carajo hablasteis durante ese tiempo?

—Qué sé yo... De mil chorradas... Yo iba por lo de la beca... Papá Martín, alias Sacacuartos, tiene tan poco dinero, que ahora necesita mendigar del Ayuntamiento... Y como el viejo tiene la mano muy larga...

—Está bien, de acuerdo... Ahora lo único que falta saber es si mañana dejará las llaves a Heredia.

—¿Mañana? —exclamó Pablo, lleno de sobresalto.

—Sí, mañana, fiesta de San Saturnino, Santo Patrón del pueblo. —Atila le echó a la cara el humo del cigarrillo.— Nunca en la vida tropezaremos con mejor ocasión: Heredia, de vigilante, y la criada, en el baile. La noche será nuestra.

—¿Y el viejo? ¿Quién te dice que no se presentará mientras estamos?

—Si serás memo —dijo Atila—. ¿No has leído «El Eco»?

—No... ¿Qué dice?

—El gachó es presidente de la Junta del Casino. A esta hora seguro que estará en el baile.

Parecía que iba a añadir algo, pero se detuvo. Alguien se había escurrido junto a ellos sin hacer el menor ruido y su cuerpo proyectaba contra el muro una sombra gigantesca.

Era Juan de Dios, el tonto, con su sonrisa poblada de colmillos y sus ojos abiertos como faros, gesticulando excitadísimo, lo mismo que un borracho.

—Está bien, está bien, ya te hemos visto —le soltó Atila—. Vete a marear a otro lado.

* * *

—Cuando le oí debían ser las siete al menos... Yo estaba en la calle Mayor y, al pasar frente al Oliva, oí el ruido de la corneta y Nenuca me dijo: «Allí, allí», y me fui corriendo a oírle a la plaza del Ayuntamiento.

En su vaso lleno de zumo, el vapor de agua formaba como una pátina de vaho traslúcido. Luz Divina apoyó los dedos en él e inmediatamente se formaron cinco islas: desiguales, borrosas, remedaban la pezuña de algún animal terrible; pero en seguida perdieron su contorno y el vaho volvió a cubrirlas de nuevo.

—¿Y después? —preguntó Rosa—. ¿Qué hubo?

—Casi nada. Algunos lo acompañaron a Miramar y encendieron un fuego en la glorieta.

—El año pasado fue más divertido —dijo Montse—, ¿te acuerdas cuando fueron a tu casa?

—Claro que me acuerdo —dijo Luz Divina—. Papá

llevaba un gorro de moro y se asomó al balcón a hablarles.

—Yo no lo pude ver —dijo Lucila—. ¿Es cierto que echó dinero por la ventana?

—¡Oh, no, qué mentira! —repuso ella, enrojeciendo. Oprimía de nuevo el vaso entre los dedos y dibujó nerviosamente el contorno de un lago—. Los niños le pidieron un discurso y él salió a saludarles.

—Lucila se confunde —terció Rosa—. Lo que debieron contarle fue que durante algún tiempo le dio por regalar dinero a todos los niños que iban a verle, incluso a los de las barracas.

—No era ningún regalo —protestó Luz Divina—. A cambio, los niños le entregaban pechinas, flores, dibujos...

—¿Dibujos? —exclamó María Gloria—. Cuatro palotes mal pintados... El niño del colmado de la esquina le llevó un papel con manchas de tinta y recibió sus seis reales.

—Como papá es pintor —balbuceó— dice que los dibujos de los niños... —pero se detuvo de un modo brusco.

Siempre que sus amigas discutían la acción de su padre, Luz Divina no tenía otro remedio que callarse. Pese a lo que su madre le había enseñado de él, sus argumentos, delante de muchachas como Rosa, resultaban, generalmente, ineficaces.

Una cosa se imponía con evidencia: papá, que para ella y su madre era el ser mejor del mundo, era juzgado, de puertas afuera, como un curioso ejemplar extravagante.

Luz Divina se preguntaba a menudo a qué podía obedecer ese misterio, pero había de conducir a la postre que el hecho resultaba inexplicable.

—Mañana por la tarde —dijo para cambiar de

tema— es el día de mi merienda. Acordaos. Que no falte nadie.

En el grupo de amigas hubo un momento de silencio. Sin saber bien por qué, Luz Divina tuvo la impresión de que cambiaban entre sí una mirada.

—¿A quién piensas invitar? —preguntó al fin María Gloria.

—No lo sé aún... —repuso Luz Divina—. A Paquita y a su hermano... A vosotras... A Vicky... A Pedro... a Álvaro...

—Yo, por la tarde —dijo Rosa— estaré en el partido de fútbol. Ernesto, mi primo, juega de portero y voy a ir al campo a jalearle.

—También pienso verle yo —replicó Luz Divina—. Como es natural, la merienda no empezará hasta las siete.

—En fin, no te aseguro nada —dijo la niña—. Si puedo, me asomaré a veros un rato.

—Eh, tú —exclamó de pronto, Montse—. Mira quien entra.

Al descubrir a Vicky reflejada en el espejo, Luz Divina no pudo reprimir un leve sobresalto. Su amiga estaba más hermosa que nunca, con un jersey de angorina azul, pantalones ceñidos a media pierna y el pelo peinado en cola de caballo. Vicky sostenía un cigarrillo sin encender entre los dedos y, al pasar frente al grupo de marinos, les hizo un saludo descuidado.

—¿Qué va a tomar usted? —le preguntó la mujer de la barra.

Ella pareció vacilar unos segundos:

—Déme una Coca-Cola bien fresca.

Consciente de la admiración que suscitaba, permaneció unos segundos inmóvil, contemplándose atentamente en el espejo.

—Parezco una bruja desgreñada —dictaminó al fin, acariciándose los rebeldes mechones de pelo.

—¡Bah, bah, no te las des de modesta! —le interrumpió Montse—. Sabes muy bien que estás estupenda.

—Con ese viento no hay forma de tener el cabello en orden —murmuró Vicky, pasando por alto la observación.

—¿Puede saberse de dónde vienes? —le preguntó María Gloria, una vez se hubo sentado.

—He ido al Oliva, a bailar.

—Supongo que no habrás ido sola —dijo Montse con retintín.

—Claro que no. Me ha llevado Álvaro.

—¡Oh, qué mentirosa! —dijo Lucila—. Anoche te vi del brazo de Pedro.

—¡Vaya idiotez! —replicó Vicky—. Si salgo con Pedro no veo porque no puedo salir con su hermano.

—Los vi a los dos a la hora de la cena, en el Paseo, allí donde no está alumbrado...

—Me gustaría saber qué hacías por allí a aquellas horas, fisgona, más que fisgona...

—Iba con papá y mamá, para que te enteres. Volvíamos de casa de mis tíos y mamá dijo de pronto: «Mira quién anda por allí. ¿No son Victoria y el hijo del doctor González?», y no tuve más remedio que mirar y os vi muy abrazaditos.

—¿Ah sí? —dijo distraídamente Vicky—. ¿Y qué más viste?

—Nada más... Si te parece poco...

—¡Bah!... Creí que ibas a contar una película de aventuras. Con la imaginación que tienes...

—No irás a decirme ahora que he dicho una mentira...

—No, claro que no... Pero si fueras un poco menos bizca te hubieras dado cuenta de que tus historias me aburren.

Luz Divina y sus amigas rompieron a reír. La pobre Lucila bizqueó más aún y se limitó a decir:

—Muchas gracias.

—Si te he ofendido, perdóname —dijo Vicky rompiendo el embarazoso silencio que siguió a su respuesta—, pero, en adelante, procura no meterte en camisa de once varas.

Hubo otra breve pausa y María Gloria preguntó:

—¿Estás libre mañana por la tarde? Luz Divina da una merienda.

—¿Mañana? —repitió Vicky, mientras el corazón de Luz Divina palpitaba como un pájaro apuñado—, no, no podré ir. Precisamente tengo un *surprise-party*.

—No me digas —masculló Montse, con la boca llena de chocolate—. ¿Quién te ha invitado?

Vicky apoyó su cabeza en la columna de madera barnizada. Realzada por la luz de las lamparillas, la belleza prodigiosa de sus rasgos hacía daño a los ojos, resultaba difícilmente soportable.

—Los señores de López —repuso—. Sonia, la hija, me ha telefoneado esta mañana. Creo que irán también las hijas del Cónsul del Brasil y algunos chicos extranjeros.

—Me gustaría ver su casa por dentro —dijo María Gloria—. Mamá contó una vez que tenían un mayordomo y media docena de lacayos.

—No, mujer, te confundes —intervino su hermana—. Lo que dijo fue que, con el dinero que lucen, podían tener, no sólo el mayordomo, sino una docena de criados.

—Pues el otro día pasé enfrente del jardín y sería para ver los lacayos o no, pero había un montón de gente delante de la verja.

—Seguramente miraban el nuevo pabellón —dijo Vicky—. El señor López ha hecho construir un gimnasio y una sala de juegos.

—¡Qué suerte tienes! —exclamó, envidiosa, Montse—. La profesora me presentó una vez a Sonia, pero creo que ella no se acuerda.

—Cuando pusieron de largo a la mayor —explicó Rosa—, la fiesta duró hasta la mañana.

—La mamá de Sonia —dijo Vicky— sabe hacer las cosas en grande. No es como la madre de tu amiga —prosiguió señalando a Montse— que, en la última fiesta que dio, a las dos horas de empezar, no había una gota de ponche en toda la casa.

—La señora Rovira ha sido agarrada siempre —confirmó María Gloria—. El día del santo de Teté quedaron también cortos de bocadillos y tuvieron que enviar a la chica aprisa y corriendo al colmado.

En aquel momento Pancho apareció por la puerta de la cafetería vestido con un traje de vaquero: amplio sombrero de rodeo, camisa a cuadros, chaquetilla de piel y pantalón tejano. Prendido al cinto, llevaba un estuche de cuero con dos revólveres de juguete y, al entrar, los empuñó con notable rapidez, encañonando al grupo de su hermana.

Luz Divina lo contempló muda de admiración, mientras avanzada contoneándose; el rostro tenso, los índices crispados en los gatillos, precioso y frágil como un muñeco de porcelana, entre los taburetes vacíos de la barra y las mesas pintadas de amarillo. Los marinos americanos dejaron de cantar y esgrimieron ferozmente pistolas imaginarias. Pero Pancho pasó delante de ellos, muy erguido, sin darles beligerancia, y al llegar a la mesa de las mujeres, retrocedió, apretó con fuerza los gatillos y exhibió triunfalmente las armas.

—¿Qué hay, Pancho?

—¿De dónde vienes?

—¿Por qué tan malas pulgas?

—¿Quién te ha dado ese traje?

Pancho no se dignó responder a la cascada de preguntas e, inmóvil, en actitud de apuntar, dejó que lo admiraran.

—Es un regalo de mamá —explicó Vicky, halagada por el éxito de su hermano—. Ayer cumplió los nueve años.

—Carlitoz y yo hemoz matado a toda la tribu —dijo el niño—. Más de zien mil indioz. Noz tenían zitiadoz en el chiringuito y no hemoz dejado ni uno vivo, ni uno, ni uno...

—Ven, acércate —dijo Rosa, abrazándole—. Tu traje es una verdadera monada.

—El hermano de George tenía uno parecido — dijo Vicky.

—Sí, ya recuerdo —dijo Montse—. Uno de color crudo, con una chaquetilla de piel...

—Por cierto —intercaló María Gloria, con aire de malicia—: ¿Qué sabes últimamente de tu amigo?

Vicky hizo sitio a su hermano encima de las rodillas y bebió un sorbo de Coca-Cola con aire desenfadado.

—Está en el Middlebury College, en Reading... Precisamente ayer recibí un par de cartas.

—Pues el otro día oí en el colegio que os habíais peleado.

—¡Qué tontería!... George y yo continuamos como siempre buenos camaradas. El verano próximo vendrá a pasar dos meses aquí y cuando en otoño yo vaya a Inglaterra, iré a visitarle.

—Teté dijo que ya no os escribíais y no sé quién contó entonces que George salía con una italiana...

—Seguramente sería Lucila, que habrá ido a Inglaterra a espiarle —sugirió Vicky con voz ácida.

—¿Quieres hacer el favor de dejarme en paz? —dijo Lucila—. Ahora eres tú la que te estás metiendo conmigo.

—Está bien, está bien —dijo Vicky—; no te enfades...

—Bueno, volviendo a lo que decíamos —insistió María Gloria—, ¿irás a casa de Luz Divina mañana por la tarde?

—Ya os he dicho que no puedo —repitió Vicky—. A las ocho debo ir al *surprise party.*

—Podías asomarte un rato antes —sugirió Luz Divina—. Luego, a las ocho...

—No, no me da tiempo. Después tendría que ir a casa a arreglarme y...

—Me parece que yo tampoco podré —dijo Lucila.

—Entonces, después del partido, iremos yo y mi hermana.

—¿Pueden ir también los chicoz? —quiso saber Pancho.

—Sí —repuso Luz Divina.

—Entonzez, zi oz pareze, jugaremoz a polizíaz y ganzterz. Yo tengo doz piztolaz y un tirador, y una navaja, y en el jardín haremoz una barricada y echaremos bombaz zobre laz otraz cazaz...

—¿Sabes una cosa, Pancho Villa? —dijo Vicky, tirándole de las orejas hasta dejarlas encarnadas— si sigues con proyectos tan siniestros diré a mamá que te quite el traje de *cow-boy.*

—Yo no tengo proyectoz zinieztroz —repuso Pancho, profundamente ofendido—. Yo zólo he dicho que podíamos jugar a ganzterz y polizíaz para pazar bien el rato.

—Pues procura olvidarlo —dijo María Gloria— si

quieres estar con nosotras deberás comportarte como una persona mayor.

—Entonzez —dijo, hundiendo sus manos diminutas en los bolsillos del pantalón tejano—, ¿qué diabloz vaiz a hazer? ¿Comer toda la tarde?

—Nos sentaremos a hablar bajo el almendro —repuso María Gloria— y cuando nos cansemos jugaremos a adivinanzas.

—En ezte cazo me pareze que no iré —declaró Pancho—. Oz vaiz a aburrir la mar haziendo adivinanzaz... Zi acazo me azomaré a la hora de comer y luego me iré con Carlitoz a otro lado...

Adormecida por el susurro de las voces, Luz Divina contemplaba como en sueños la mesa cubierta de botellas, platos, vasos. A su izquierda, los marinos americanos batían ruidosamente las palmas y el más bebido coreaba la música del disco con voz desafinada. Luego la melodía cerró y se abrió una larga pausa. En un extremo de la barra las parejas se comunicaban por medio de murmullos. Sólo se oía el bufido colérico de la cafetera exprés y el rumor del turmix gestando un batido para Pancho. Al cabo, Vicky sacó su pitillera del bolsillo y encendió parsimoniosamente un cigarrillo.

—¿Alguna de vosotras ha oído lo que decía el pregonero? —preguntó.

Haciendo un esfuerzo para liberarse del sopor, Luz Divina partió por la mitad la pajuela que sostenía entre las manos.

—Yo —dijo— estaba con Nenuca en la calle Mayor y al pasar frente al colegio...

Y en aquel instante, remoto y familiar al mismo tiempo, el tocadiscos inició un nuevo aire.

* * *

El taxi de Utah era un Citroen de modelo anticuado. Su dueño lo había aparcado frente al salón de fiestas, a una veintena de metros de la Granvía y, al enterarse de la demanda del portero, se ofreció inmediatamente a conducirle hasta Las Caldas.

—Como el motor no anda muy cristiano —se limitó a decir cuando Utah se hubo instalado dentro— preferiría llevarme un mecánico.

Arrellanado en el asiento de cuero, Utah le contestó que podía llevar consigo a todos los mecánicos que quisiera.

—Así, si hay avería, podremos echar una partida de cartas.

El taxista le condujo entonces a una enorme estación de servicio, después de abrirse diestramente camino a través de los embotellamientos del tráfico.

—Espérese usted mientras lo busco —dijo al llegar—. Entre tanto haré que lo repasen.

Utah sacó la petaca del bolsillo y lió parsimoniosamente un cigarro. Luego, apoyó los codos en el brazo flexible del asiento y se entretuvo en analizar uno a uno a los hombres del garaje.

Separado de ellos por un telón de vidrio, vestido con su abrigo recién hecho, su bufanda y sus guantes, se sentía propenso a juzgarles con crudeza, con una mezcla de altivo desdén y horror delicado. Ordinarios. Eso es lo que eran: unos ordinarios; trabajando todo el día con las manos sucias y el rostro lleno de grasa; cobrando primas por cada hijo; federándose en algún sindicato. Puesto que su padre decía que eran *socialmente útiles,* él se sentía muy orgulloso de ser un parásito: una hidra de cien patas con cara de nenúfar, soberbiamente inútil, traidoramente falsa.

Por fortuna el viaje era cosa hecha y dentro de poco dejaría aquel garaje. Al día siguiente, a la hora de la cena, estaría de nuevo en Las Caldas. Desde luego, no contaba con el dinero necesario para pagar al dueño del taxi, pero, pensándolo bien, el asunto carecía de importancia. En primer lugar, la gente se recuperaba en seguida. Por otra parte, en el pueblo no le sería difícil encontrar un prestamista que le adelantase la suma necesaria. Con una propina fabulosa en el bolsillo, el hombre se alejaría de él haciéndole reverencias. ¡Quién sabe si intentaría besarle la mano!

Utah consideró la eventualidad con una sonrisa vaga. Durante su último viaje a Sevilla se había quedado, como ahora, completamente entrampado; pero la fortuna había acudido también a su encuentro bajo la forma de un comandante vasco. «Mientras aquí —le dijo— no tengo un mísero techo en qué cobijarme, dos salas de exposición de Barcelona se disputan la exclusiva de mi obra. Si un caballero como usted español y católico, hubiera ayudado a El Greco en su momento decisivo, su rasgo sería hoy encomiado por todos los libros de historia.»

Deslumbrado por el argumento, el comandante le ofreció por unos días la rica hospitalidad de su villa, hasta que, asustado por el número y la voracidad de los acreedores que se le echaban encima, lo condujo en un *jeep* hasta el aeródromo; una vez allí, no le fue difícil encontrar a un piloto amigo que transportó a Utah a Barcelona, oculto en la cabina del avión.

Ahora también llegaría felizmente a su punto de destino y nadie le pediría como entonces el precio del viaje. Tranquilizado por tan agradable idea, Utah examinó de nuevo a sus salvadores, ahora bajo una luz más dulce. El buen pueblo. Siempre atento, abnegado y labiorioso, movido por ideales de justicia. Un tesoro. Un verdadero tesoro.

Al repetir interiormente su juicio notó la garganta seca y decidió inmediatamente refrescarla. En la esquina había un cafetín iluminado con redondeles de luz verde. Utah abrió la puerta del taxi y se dirigió hacia él sin apresurarse.

—Déme dos botellas de coñac.

Mientras el hombre que atendía el mostrador iba a buscarlas a la trastienda, se acodó perezosamente en la barra.

—¡Ah! —gruñó—. Y tráigame también un barrilito.

—¿Un barrilito? —La cabeza del hombre emergió inmediatamente tras la puerta.

—Sí, un barrilito —dijo Utah—; para meter el coñac dentro.

Le había invadido de pronto la necesidad de improvisar y añadió con aire desenvuelto:

—De caoba o de ébano, igual me da. Lo importante es que resista bien los balazos.

—No tengo ningún barrilito, señor.

El hombre se apoyó en una de las jambas de la puerta y le observó unos momentos con manifiesta desconfianza.

—Mis compañeros acaban de hacer un buen trabajo —explicó Utah, fingiendo no enterarse—, un trabajo limpio, de artesano.

El hombre desapareció al fin tras la puerta, cuidando de no cerrarla.

—En diez minutos: un verdadero record. — Se había inclinado hacia adelante, como para añadir nuevos pormenores, pero se detuvo de un modo brusco—. En fin, mañana tendrá usted ocasión de leerlo en los diarios.

El hombre regresó con dos botellas y las puso cuidadosamente en el mostrador.

—¿Le conviene Terry, señor? O prefiere, quizá de otra clase.

—Traiga usted Fundador — repuso Utah —. Es la marca preferida de Jimmy. Seguramente le detendrá la hemorragia.

El hombre regresó a la trastienda con las botellas. Al poco volvió con otras dos de la marca pedida.

—¿Desea usted algo más? — dijo.

Utah se acarició nuevamente la barba e hizo como si no le escuchara.

—La cosa nos parecía imposible, sobre todo teniendo en cuenta la aglomeración del público. Pero Jimmy ha estado magnífico. Nunca le he visto tan rápido y ágil.

El hombre de la barra le observaba ahora con un aire decididamente hostil.

—¿Decía usted algo? — preguntó Utah, encarándose con él de repente.

—¿Señor?

—Sí, vamos — Utah golpeó en la barra con el puño —. ¿Qué decía usted?

—Nada, señor; no decía nada.

Hubo unos segundos de silencio, durante los que Utah le analizó con suspicacia.

—¿Le envuelvo las botellas, señor?

—No, aún no. Sírvame antes un trago.

—¿Un trago de qué, señor?

—¿De qué? ¿De qué quiere usted que sea? — exclamó Utah —. Pues de lo de siempre.

—No le entiendo a usted, señor.

—Vamos... No me va a decir que no se acuerda...

—Usted se confunde — dijo el hombre —. Es la primera vez que le veo a usted en mi vida.

—¿Y qué? — repuso con sequedad Utah —. ¿Acaso le he dicho lo contrario?

Examinaba al hombre con ojo atento y emitió alegremente el dictamen:

—Acabado.

El taxista había aplastado entre tanto su gruesa nariz contra el vidrio y, de espaldas al hombre, Utah le hizo una seña con los dedos.

—¿Cómo ha quedado el motor? — le dijo, una vez estuvo dentro.

—Como nuevo.

—¿Y el hombro de Jimmy?

—Perfecto.

—¿Le habéis cambiado el vendaje?

—Ahora mismo.

—¿Estaba empapado?

—Pse... un poquillo.

El rostro del taxista se mantenía perfectamente serio. Utah le telegrafió su aprobación con un guiño.

—¿Qué vas a beber, Johnny?

—Lo que beba usted, jefe.

—¿Dos ginebras con ron?

—Magnífico.

Utah se volvió de cara a la barra.

Sin necesidad de hacérselo repetir, el hombre preparaba ya la mezcla.

—¿Qué podemos hacer con él? — preguntó Utah, señalándole.

—¿Hacer? — repitió el bautizado Johnny.

—Ha oído más de lo que conviene y podría irse de la lengua.

—Siempre se está a tiempo de darle un baño.

—Sí — dijo soñador Utah —, siempre se está a tiempo.

El hombre había servido la mezcla en dos vasos

pequeños, que colocó cuidadosamente enfrente de él, al borde de la barra.

—Tú, mira — dijo Utah al taxista, señalándole los vasos —, el tipo ese ha debido tomarnos por maricas.

El taxista se acodó también en la barra y observó fijamente al hombre durante unos segundos.

—Escucha, nene — dijo al fin, con voz agria —. Ni el jefe ni yo somos dos monjas ursulinas. Cuando bebemos, se nos sirve en vasos grandes.

Utah dirigió al hombre de la barra la mejor de sus sonrisas:

—Tal vez no sepa usted lo que le ocurrió al dueño del Albergue Gitano aún no hace dos semanas.

—Ande, cuénteselo usted, jefe.

—...Era un hombre inverecundo y lenguaraz al que gustaba repetir cuanto oía.

Con gran lentitud deslizó su mano izquierda sobre los labios. Al retirarla, su rostro apareció totalmente serio, como si su sonrisa no hubiera existido nunca.

—Lo mataron.

—El taxista manifestó su regocijo con una risotada.

—Y de qué manera, jefe.

—Sí — coreó Utah, a su vez —. De qué manera.

El hombre de la barra sirvió la mezcla en dos vasos grandes, que llenó cuidadosamente hasta arriba.

—Esto ya es otra cosa — manifestó con aprobación el taxista.

Los dos hicieron entrechocar los vasos antes de beberlos. Luego, Utah dejó un billete de cien sobre la barra.

—Toma, muchacho — dijo al hombre —; y procura que no te pase nada.

El taxista abrió la puerta de par en par y Utah le entregó las dos botellas. Y como dos viejos amigos

reunidos después de una larga ausencia, salieron a la
calle cantando, sin tomarse el trabajo de responder
al débil saludo del encargado.

—¿Sabes una cosa? — le dijo Utah cuando llegaron al garaje donde estaba aparcado el auto —. Me
eres extraordinariamente simpático.

*   *   *

—Es un hermoso velero, señorita Flora — dijo la
voz de Lolita —. ¿De quién dice usted que fue regalo?

—De un joven llamado Beremundo. Beremundo
Salazar Chocano, natural de La Rioja, como nosotras.
Al final de la guerra entró con los nacionales en el
pueblo y se quedó a trabajar de capataz en la finca.

Regina interrumpió con un suspiro su labor de
costura e imprimió a la mecedora un suave balanceo.
A través de la puerta del salón percibía el murmullo
de la conversación de las mujeres y, con el ceño fruncido, se preguntó si Flora tendría el valor de conti-
nuarla. Hasta el presente, la historia descabellada de
sus relaciones con Beremundo habían sido la exclusiva
comidilla de las antiguas amistades de la casa, pero,
desde hacía algún tiempo, Flora había perdido completamente la cabeza y la exponía también a las co-
nocidas ocasionales. Ahora se disponía a recitarla a
la sirvienta, a una mocosa recién venida de Murcia.
De seguir así, Regina la iba a sorprender un día rela-
tándola con todos los pelos y señales al lampista o
al chico de recados del colmado.

—¿Y dice usted que lo hizo él mismo, señorita
Flora? — preguntó la chiquilla con su voz cantarina.

—Él mismo, sí, con sus propias manos... ¡Oh, no
puedes figurarte lo habilidoso que era! En mi vida

he encontrado a nadie con sus dotes... Con un trozo cualquiera de leña hacía en diez minutos una talla.

... De haber permanecido un año más, habría llenado toda la casa. Alegando su alto valor artístico, Flora colocaba sus palitroques en todos los rincones imaginables, hasta que un día que fue a comprar al pueblo, ella los arrojó todos al fuego, convirtiéndolos en un puñado de ceniza. Al descubrirlo, su hermana se puso amarilla de rabia y estuvo seis meses sin decirle una sílaba.

—En seguida se nota que es un trabajo de valor. Vamos, quiero decir, que el que lo ha hecho es un artista —. Hubo un momento de silencio durante el que Regina imaginó a las dos mujeres absortas en la contemplación de la octava maravilla —. ¿Cuánto tiempo ha dicho usted que estuvo con ustedes, señorita?

—Treinta y dos meses justos... ¡Oh, mientras estuvo él, la finca donde pasamos el verano no parecía la misma!... ¡Era un muchacho muy alegre, Beremundo! Le gustaba reír, bromear, contar historias... Aparte de eso, era muy serio y formal y nos hicimos amigos íntimos.

... Todas las noches Flora bajaba a la cocina y lo mantenía despierto hasta las tantas. Había descubierto que el mozo tenía gustos similares a los suyos e intentaba hacerle ver con insistencia que se trataba de un hecho extraordinario. Beremundo la escuchaba con los brazos cruzados y respondía secamente, por medio de monosílabos. Un día había oído susurrar a Flora: «Un hombre joven y emprendedor como usted debería buscar con quién casarse», y, aguzando el oído, había percibido aún: «Usted es riojano de cepa, como yo. Ni a usted ni a mí nos interesa la gente de otros sitios».

—¿Y por qué se marchó de su casa, señorita Flora?

—Un día, a mitad del verano, recibió un telegrama de su casa, diciendo que su madre se moría y aunque él se fue al pueblo sólo para unos días, la buena mujer se restableció y, como estaba sola en el mundo, no quiso que volviera a Cataluña... Fue un golpe muy duro para los dos, pero, ¡qué quiere usted!, la vida es la vida...

... Pese a lo sobado de la historia, Regina no pudo evitar una sonrisa... Aquel verano Flora había estrechado su cerco en torno a Beremundo y el gañán no había encontrado otro recurso que la huida. El telegrama era, naturalmente, falso y se lo había hecho enviar él mismo. Quizá tenía una novia por su tierra, quizá deseaba tan sólo librarse de su hermana; lo cierto era que había volado lejos, el Beremundo, y aunque Flora había aguardado pacientemente muchos años, no había vuelto a tener noticias suyas; era como si la tierra lo hubiera devorado...

—Es extraño que no haya vuelto a saber de él —decía la muchacha—. ¡Quién sabe si debió ocurrirle algo!

—Pues no tendría nada de particular, mira lo que te digo. Con los tiempos que corren, nadie puede estar seguro de nada... Beremundo era un caballero de verdad; no como los hombres de ahora, que sólo lo son de palabra... Basta asomarse a la calle para convencerse. En mi vida me habían mirado con tanta desvergüenza...

Regina abandonó de nuevo el bordado y alisó mecánicamente los pliegues de su falda. Desde hacía albún tiempo su hermana tenía la obsesión de que los hombres la seguían por la calle y de que, por la noche, intentaban escalar su ventana.

—Parece difícil creer, pero lo cierto es que no

se puede estar tranquila en ningún lado. Ayer por la tarde, en el Paseo...

Flora concluyó su confidencia en un susurro. Hubo una pausa breve y Lolita preguntó:

—Y entonces, ¿qué hizo usted, señorita?

—¿Qué querías que hiciera? Había anochecido ya y no se veía un alma... No tuve más remedio que callar y huir hasta la Avenida María. Por suerte, allí encontré a un viejo amigo de la familia, que tuvo la gentileza de acompañarme hasta casa...

Regina cerró con un ademán brusco la tapa del cesto de costura y se dirigió reteniendo el aliento al saloncito de su hermana.

Sabía muy bien que el trato con personas como Flora requería una gran dosis de paciencia, pero, bueno, la paciencia tenía también sus límites.

—¿Quieres hacer el favor de callarte de una vez? — le dijo —. Me fastidia oírte siempre el mismo disco.

—Pues si te fastidia — repuso Flora, sin abandonar sus labores — no tienes más que irte a otro lado.

Bajo el dintel de la puerta dorada y azul, Regina sintió que las mejillas le quemaban: ¡Conque quería guerra, pues guerra tendría!...

—No, no me iré — dijo —. Estoy trabajando en mi dormitorio y no tengo porque soportar sus fantasías...

—Nadie te ha pedido que las soportes — replicó displicente Flora —. Basta que cierres la puerta del salón. El remedio no puede ser más sencillo.

—Vergüenza debiera darte, a tus años, explicar esas historias delante de una chiquilla.

La frase había brotado, torpe, a pesar suyo, y Regina se apresuró a añadir:

—Óyeme bien, Flora. Te dije un día que no estaba dispuesta a aguantar ciertas cosas.

—Me gustaría saber a qué llamas tú «ciertas cosas»... Si te refieres a mi amistad con Beremundo...

—A tu amistad con Beremundo... y a todo lo demás...

—Habla claro, que yo te entienda.

—Me parece que no me expreso en turco.

—Entonces confieso que soy burra.

—¡Bah, es inútil que pongas esa cara! Sabes perfectamente de qué te hablo.

—Si aludes a lo ocurrido ayer en el Paseo...

—A eso iba.

—... no veo que tenga nada de particular. Cosas así pasan todos los días.

—A mí no me ocurre nunca.

—Pues si no te ocurren, yo no tengo la culpa.

—¡Flora! — exclamó, escandalizada, Regina —. ¿Cómo te atreves a...?

—Está bien, está bien, no he dicho nada... Pero, como puedes comprender, si los hombres me siguen por la calle, yo no puedo impedirlo.

—Antes no te seguían nunca y entonces eras joven y bonita.

—Muchas gracias, Regina; eres muy amable.

—Perdona si te he ofendido, pero encuentro todo esto completamente absurdo... Que una mujer, a tus años, se vea acosada por los hombres... jamás lo había oído decir.

—Pues ahora ya lo sabes... A mediodía y en plena calle...

—Algo debes hacer tú para que te sigan...

—¡Regina!... Te prohibo que...

—Entonces no hay más que una respuesta... Tu traje azul celeste... Deben encontrarlo ridículo...

—¿Ridículo mi traje? Permite que me ría...

—¿Desde cuándo se ha visto una cuarentona con

una falda de volantes? Ni siquiera las turistas extranjeras se atreven a salir como tú sales...

—Sé muy bien adónde quieres llegar... Pero déjame antes decir lo que yo pienso: estás celosa, Regina. Sí, muerta de celos y de envidia.

—¿Celosa yo? — Regina soltó una carcajada —. Estás más loca de lo que yo suponía si me crees capaz de...

—De envidia, sí, de envidia...

—¡Basta ya, Flora! Siempre me he esforzado en ser paciente contigo, pero la paciencia tiene sus límites...

—Anda, hazte la mártir, encima. Como si no fuese todo demasiado claro... Como si no saltara a los ojos que estás muerta de envidia...

—Me gustaría saber de qué podría sentirme yo envidiosa — dijo Regina irónicamente —. ¡Como no sea de tus disfraces y potingues!...

—Pues entonces déjame que te lo diga — repuso Flora, mientras la sangre coloreaba sus mejillas —: Estás envidiosa de que yo me pasee por la calle y de que los hombres se vuelvan a mirarme... Has sido celosa siempre, desde niña. Por celos hiciste lo imposible para alejar a Beremundo... y durante toda la vida te has esforzado en enclaustrarme por envidia, entérate, por envidia...

—¡Cállate la boca de una vez, Flora! Estás trastornada, nerviosa... Todo lo que dices es perfectamente ridículo.

—No, no callaré... Desde niña me has tenido siempre esclavizada, pero la farsa ha terminado ya... De ahora en adelante pienso vivir a mi modo y se me importa un comino todo lo que tú digas. Y para que te enteres de una vez: me juntaré con el primer hombre que me plazca. Estoy harta de ser señorita.

—¡Flora!... No estoy dispuesta a... Si no haces el favor de callarte ahora mismo...

—¡Harta, óyeme bien!... ¡Harta, harta, harta!...

Y arrojando a un rincón el bordado, abandonó la habitación llorando como una niña.

En el saloncito el silencio pareció corporeizarse. Los muebles, sin saber cómo, adquirieron un aspecto irreal, como forzado. Regina sintió una punzada en las sienes y buscó apoyo en la mesa del despacho.

—¡Dios mío, Dios mío! — dijo.

Cuando se recuperó, Lolita la contemplaba asustada desde un rincón, y alguien hacía sonar con insistencia el timbre de la puerta.

—¡Anda, vamos! — gritó a la muchacha —. ¿No te has enterado de que están llamando? ¿Por qué pones entonces esa cara de babieca?

Lolita huyó sin decir palabra. Algo más tranquila, Regina atravesó la habitación de un lado a otro, aguardando a que su respiración se normalizara. Al poco, la muchacha volvió a asomar por la puerta y, deteniéndose un segundo a tomar aliento, anunció:

—La señorita Elvira está en el recibidor... Dice que viene a buscar a la señorita Flora para ir a la Junta de las Damas.

Regina regresó lentamente a su habitación y se enfrentó de nuevo con su labor.

—Si viene a buscar a la señorita — dijo con voz átona — dile que aguarde unos momentos y vete en seguida a su dormitorio, a avisarla.

* * *

Juana desabotonó su jersey de angorina e hizo correr la cremallera de su falda. Luego, situándose frente al espejo ovalado de la cómoda, se despojó lentamente de sus prendas y permaneció unos segundos inmóvil, absorta en la contemplación de su imagen.

Su cuerpo flexible, de líneas armoniosas, se había afiligranado bastante desde el comienzo del otoño: los trajes antiguos le resultaban anchos de cintura; bajo las cejas, el empuje de los pómulos, parecía sorberle la cara. «Un poco de sol y un poco de deporte», había dicho el médico al visitarla: «Menos lectura y menos cigarrillos; pero el médico, como sus padres, siempre se andaba por las ramas; no se atrevía a decir las cosas de frente; antes que abordar ciertos problemas, preferiría vivir en la ignorancia.

El batín estaba sobre la colcha. Juana se arrebujó en él temblando de frío. A través de la puerta percibía el rumor del agua manando en el baño. Como de costumbre, su madre había bajado el champú para lavar al perrito. Después de poner sus trajes en orden, Juana abandonó el dormitorio y se acodó en el pasamanos de la escalera, dando un suspiro.

—Jacinta.

La pobre mujer era más sorda que una tapia. Imposible hacerse oír, sino a gritos:

—¡Jacinta!...

Hubo un rumor de pasos sobre el encerado: precavidos, como aventurándose por un terreno desconocido. Luego Juana distinguió el pelo teñido de su madre, su bata color verde loro, sus espantosas zapatillas.

—¿Eres tú, Juana?

—No, soy la abuelita.

Hubo un breve silencio durante el cual su madre pareció rumiar una respuesta. No debió encontrar ninguna, pues preguntó:

—¿Qué quieres?

—Que Jacinta me suba el champú.

—¿El champú? ¿Para qué?

Las preguntas absurdas de su madre tenían la virtud de ponerla frenética.

—¿Para qué quieres que sea?

—¿Te vas a bañar?

—Sí.

—¿Piensas salir después de la cena?

—¡Jacinta!

—Te estoy hablando, hija mía.

Su tozudez: en la vida había visto nada igual. La eterna manía de poner las cosas en claro, de averiguar todo lo que ocurría.

—Perdona... No te escuchaba.

—Te preguntaba si ibas a ir al cine.

—No; no lo sé.

—¿Sabes qué película dan en el Gayarre?

—No.

—Adela me ha dicho esta tarde que ponían una de Montgomery Clift.

—Puede.

—Ahora no me recuerdo como se llama... Pero creo que es muy entretenida.

—¡Por favor, mamá!... Si continúo aquí un momento más voy a atrapar un resfriado.

El moño gris con reflejos azules permaneció todavía inmóvil durante un buen rato. Luego su madre desapareció de su campo visual refunfuñando:

—Está bien, está bien... Ya voy a decírselo.

Cuando terminó de bañarse, el reloj del pasillo marcaba las diez en punto. En un santiamén, Juana se puso la chaquetilla de piel y el pantalón azul-marino. Abajo, la familia estaba ya reunida. Tras denodados esfuerzos, Jacinta había logrado acostar a Nana, que andaba excitadísima por haber estrenado un nuevo traje y había gritado como un energúmeno en el momento de desnudarse; Pancho paseaba por el salón muy orgulloso, vestido todavía de vaquero y con los revólvers en el cinto; Vicky se arreglaba las uñas en el diván, como las modelos que veía retratadas; y, sentado en su sillón, junto a la radio, papá escuchaba ávidamente las noticias.

—Vamos, niños... — Cuando su madre se dirigía a la familia afectaba una vocecita aflautada que creía sin duda elegante, pero que tan sólo era ridícula —: La cena está servida.

Juana ocupó su sitio habitual, sin decir palabra, y aguardó en silencio a que los otros la siguieran. Papá elevó el tono de la radio para no perder una coma de las noticias. Vicky llevó consigo una novela barata y la apoyó contra la jarra del vino. Pancho se arrodilló en su almohadón y levantó la tapa de la sopera.

—¡Uf! Otra vez zopa de pezcado.

Su madre sirvió con el cucharón, por riguroso turno, y, al concluir la acción de gracias, fue como si se repitiese una vez más una escena ya vivida: la voz cascada del locutor; los sorbos ruidosos de Pancho; el tintineo de los cubiertos al chocar con la vajilla. Con una satisfacción cruel, Juana verificó la exactitud de los detalles: su padre tragaba a grandes bocados, entre noticia y noticia; su madre se llevaba la comida a la boca con repugnancia afectada y la mordía con los dientes igual que un ratoncito; la radio hablaba de ancianas centenarias, de fervorosos homenajes a una antiquísima reliquia. Después Pancho golpeaba con el cuchillo en el plato:

—Que traigan lo que ziga.

Su madre parecía despertar de un profundo letargo y agitaba delicadamente la campanilla.

Inútil: Jacinta no la oía.

Su madre lo sabía, también, pero era tan elegante emplear la campanilla...

—¡Jacinta! — llamaba, entonces, con su vocecita aflautada.

La mujer se presentaba, tarde o temprano, y el viejo, infatigable ritual, se repetía.

—¿Quién quiere ir al cine esta noche? — La pregunta se dirigía, evidentemente, a él, pero papá no se dio por aludido.

—¿Te gustaría ir a ti, Francisco?

—Ya sabes que por la noche no puedo, nena.

—¿Y tú, Vicky?

—Voy a acostarme ahora mismo, mamá. Hoy he ido a clase de danza y estoy hecha migas.

—¿Y tú, Juana?

—Ya te he dicho en la escalera que no podía...

—¡Oh, qué antipáticos! — dijo su madre con voz de niña —. Con un marido y dos hijas en casa, nadie es capaz de sacrificarse un poquito.

Aguardaba, quizá, una protesta cortés, pero nadie se tomó la molestia de desmentirla.

—Todo el día estoy diciendo que me aburro como una ostra porque en este dichoso pueblo no hay cines, y un día que se les ocurre hacer algo bueno, debo quedarme en casa porque nadie quiere acompañarme.

—Iremos mañana, mujer — dijo papá, con el oído atento al boletín informativo.

—Sí, pero mañana ya no pasan la película de Montgomery Clift. Mañana estrenan la *Túnica Sagrada*.

—Pues telefonea a la mamá de Montse — dijo Vicky —. Me pareció haberle oído decir que iba al Gayarre.

—¿Ah, sí? — exclamó su madre, llevándose a la boca un minúsculo pedacito de carne —. Ahora mismo vol a avisarla —. Se volvió hacia papá, con un ademán infantil —: ¿Has oído, Francisco?

—Sí, nenita.

—¿Me dejas ir al cine con la mamá de Montse?

—Por favor... Estoy escuchando las noticias.

—Bien, bien... No te interrumpo —. Hizo ademán de incorporares, pero cambió de opinión —. Eso es: esta noche iré con la señora Cano y mañana contigo, Vicky.

—Yo no podré ir, mamá... Mañana por la tarde estoy invitada al *surprise-party* en casa de los López.

—Ah, sí, claro, me había olvidado; ¡qué memoria tengo!... — Bebió un sorbito de agua y preguntó: —¿Y Juana? ¿Irá contigo?

—Juana tiene otros asuntos en qué ocuparse — dijo aviesamente Vicky.

Ella le dirigió una mirada feroz.

—¿Otros asuntos?—preguntó mamá—. ¿Qué clase de asuntos?

—Yo no lo sé — repuso Vicky con aire de misterio —. Pregúntaselo a ella.

—Vicky está diciendo tonterías — dijo secamente Juana.

—Peor es hacerlas que decirlas.

Su madre las observaba a las dos, sorprendida: evidentemente, no había pescado nada.

—En fin — suspiró—. ¿Quién irá con nosotros al cine?

Pancho dejó el tenedor sobre el plato y se secó la boca con la manga:

—Puede que vaya yo — dijo—. Depende de la claze de película.

—Yo tampoco podré acompañarte — se apresuró a decir Juana.

—Zi es una película de tiros y hay azezinatoz y

atracoz iré... Pero zi ez de ezaz tan aburridaz donde nadie mata a nadie...

—Está bien, iré con vuestro padre — dijo mamá, rendida.

Al oír su nombre, papá pareció despertar de su modorra. La radio acababa de finalizar las noticias.

—En Pamplona — explicó ajustándose las gafas cuidadosamente — acaban de construir un templo de cincuenta metros de alto en menos de ochenta y cinco días...

Pero al darse cuenta de que nadie le escuchaba, se detuvo y atacó en silencio el estofado con patatas.

* * *

«*Santiago y yo regresaremos a las ocho. Estando resfriada como estás, supongo que no se te ocurrirá dar una vuelta...*» Sabía que su hermana la aguardaba para encender el fuego, pero no se decidió a entrar. La atmósfera hogareña de felicidad por encargo, tenía la virtud de ponerla enferma. Sin saber bien por qué, a Celia le recordaba las festividades escolares. Como las monjas, su hermana se creía en la obligación de reír, pero su alegría era demasiado ruidosa para ser auténtica. Sólidamente anclada en la Verdad, se suponía en posesión de su secreto: «*Cásate. A tu edad, una mujer no debe vivir sola. Mírame a mí: desde que estoy con Santiago no parezco la misma*». Y no lo parecía, en efecto. Con más de veinte kilos encima, trajinando entre papillas y pañales, cualquier semejanza con la Matilde de antes, era una simple coincidencia. Rodeada de Santiago y los niños, le repetía: «*Fíjate, qué felices somos. Ya ves, no tienes más que imitarnos*», sin darse cuenta de que tal insistencia producía un efecto contrario. Por otra parte, si aquella era la ima-

gen del matrimonio, Celia daba gracias a Dios por
seguir soltera. Tanto Santiago como Matilde tenían
una innata propensión a la chochez, pero, desde el na-
cimiento de los críos, esa chochez constituía un verdadero tormento. Convertidos en niños ellos mismos,
se servían para hablar entre sí de un lenguaje afecta-
damente infantil, salpicado de expresiones grotescas,
como si, en lugar de enseñar a Arturo, el crío les hubiera enseñado a ellos. Esa pantomima, repetida de
la mañana a la noche, llegaba a sacarla de quicio.

Pero Matilde parecía no darse cuenta de nada y
afectaba un aire de suficiencia para evitar toda disputa: «*Estás muy excitada, Celia. Comes poco y duermes
mal. Yo, de ti, intentaría cambiar de vida*». Cambiar
de vida era el término que, desde hacía unas semanas,
había substituido a casarse, en su léxico. Celia debía
cambiar de vida o acabaría neurasténica. Una mujer
de veintiséis años, bonita por añadidura, no podía
contentarse eternamente con su sueldo de maestra. El
trabajo, desde luego, permitía vivir con independencia, pero la independencia, en lo que se refiere a la
mujer, era una libertad sin sentido, una simple palabra. «*Las mujeres no podemos vivir solas. Necesitamos apoyarnos en algo. Tú, que estás soltera, no puedes ni suponer cómo ha cambiado mi vida desde que
me casé con Santiago.*» Dijera lo que dijese, el disco
acababa siempre de igual modo y a Celia no le quedaba otro remedio que aguantar o marcharse. Desde
hacía algún tiempo se quedaba a comer en un res-
torán con el pretexto de preparar alguna clase, y después de vagabundear por las colinas, no regresaba al
piso hasta la hora de la cena. Pero Matilde había acabado por enterarse y le había endilgado uno de sus
sermones: «*Ve con cuidado. La zona está infestada
de truhanes. Además, tampoco estoy segura de que te*

convengan demasiado esos paseos», pues, naturalmente, su hermana no comprendía o fingía no comprender su necesidad de huir de casa y anotaba sus evasiones imprevistas en la cuenta de sus extravagancias. Todo lo que ella hacía se le antojaba absurdo, disparatado. Pasar las veladas con Utah era, por ejemplo, una ocurrencia sin pies ni cabeza: *«No sé qué interés puede tener para ti un hombre sin oficio ni beneficio y que, por añadidura, está medio chiflado»*. Y aunque ella intentase explicarle que quería a Utah porque no era un hombre como los otros y porque todo cuanto hacía y decía era original y no imitado, su defensa resultaba a la postre inútil, pues, llegado el momento de exponer alguna de sus originalidades, Matilde, indefectiblemente, la encontraba censurable: *«Realmente, hija, no sé qué gracia le ves a que, en lugar de encender el fuego con leña, como todo el mundo, se dedique a partir las sillas a hachazos»*. No. Su hermana era incapaz de comprender que un hombre no pagara su cuenta en los bares y diese en cambio una peseta a todos los niños que iban a visitarle. Su sentido común se sublevaba ante lo que ella llamaba *ausencia de criterio*. Holgada, satisfecha, se creía realista por haber vendido su vida a cambio de un plato de lentejas. Aceptar un buen partido, casarse e inundar el mundo de hijos era para ella lo lógico, procedente y correcto. Cultivar amistades sin sentido, vivir sola, pasear por las colinas, en cambio, era nocivo, peligroso, malsano: *«No creas que te hablo por hablar, tanto Santiago como yo, estamos muy inquietos»*. Naturalmente, Celia jamás le había hablado de Atila, pero, al imaginar la expresión de su rostro el día que se lo contara, no pudo menos que reír. Pero como estaba en mitad de la alameda, se contuvo haciendo un gran esfuerzo. Cualquier conocido, de haberla visto, la hubiese to-

mado por chiflada. Quien sabe si hubiera ido a Matilde con el cuento. Más tranquila, remontó la calle
Buenaire y, al llegar al número 15, subió por la escalera.

—Utah está fuera desde el viernes — dijo Elisa
haciéndola pasar al comedor —. Se ha ido a Madrid
a ver a su abogado. Como mi suegro sigue sin soltarnos
ni un céntimo, ha decidido ponerle un pleito.

—Ya me parecía que últimamente no se le veía
por ahí... Esta tarde he estado en el *Refugio* y en *Ma-
ricel*. Me ha extrañado no verle.

—Precisamente esta tarde han venido los del *Refugio* a casa. A cobrar, ya te puedes suponer — Elisa
sonrió de un modo dulce —. Les he dicho que podían
quedarse con todo lo que quisieran.

—Ahora que recuerdo; me parece que Elpidio hablaba de él cuando entré. No sé... No estoy segura.

—¡Oh, es muy probable! Cuando se trata de cobrar es un verdadero cuervo... ¿Te ha dicho algo?

—No, nada.

—Espero que Utah conseguirá arrancar algo a su
padre. Si no, hijita...

—¿Y Luz Divina? ¿Dónde está?

—Se ha ido con la niña de ahí al lado a ver a sus
amigas... La pobre está muy excitada porque mañana
da una merienda.

—Ah, sí; ya me lo dijo en el colegio hace unos
días. Por cierto: una de sus amigas me contó que su
madre no la dejaba ir.

—¿No? — dijo inocentemente Elisa —. ¿Por qué?

—Ya te lo puedes suponer. A causa de Utah...

—¡Qué tontería! No sé que tiene que ver la niña
con eso...

—Ni yo tampoco... ¡Estupideces de la gente, qué
quieres!

Se sentaron junto a la chimenea y Elisa fue a préparar el café. Celia observó que habían desaparecido nuevas sillas.

—¿Y los jerseys? ¿Qué tal van? — preguntó cuando Elisa volvió con las tazas.

—Así, así: me defiendo. Si lograra trabajar por mi cuenta...

—Debe rendir mucho más, me figuro.

—La mujer para quien trabajo se saca alrededor de unas cinco mil.

—Deben ser caras esas máquinas...

—Sí, valen mucho dinero... Veinte, veinticinco mil pesetas.

—Si Utah consiguiera convencer a su padre podrías instalar un taller aquí.

—Dios te escuche. Lo que es ahora, me paso el día entero trabajando y recibo un sueldo de miseria.

—Déjame ver ese jersey — dijo Celia —. ¿Has cortado el patrón tu misma?

—Siempre los corto yo. La dueña se limita a reproducir lo que yo hago.

—Te queda precioso, mujer... Realmente da grima tener que trabajar de este modo.

—En fin, no me quejo — suspiró Elisa —. Al menos puedo estar en casa.

—Sí. Siempre estarás mejor en casa que fuera... Con la niña y Utah...

—Cuando estamos los tres, apenas me doy cuenta de que trabajo... Es ahora, al estar sola, cuando se me caen encima esos paredones.

—Puedes dar gracias a Dios de tener una familia como la que tienes.

—Se las doy continuamente, Celia... Pese a todos los pesares, cada día me siento más feliz, más unida a ellos.

—Utah es un hombre extraordinario, Elisa... Tú, la niña y él... A veces creo que sois las únicas personas que sentiría dejar.

—Ya conoces nuestra manera de ser. El qué dirán de los otros nos tiene sin cuidado. Pero, a los amigos, los recibimos con los brazos abiertos.

—Si vivieras en una «familia bien», como yo, te darías cuenta del valor que esto tiene.

—Para Utah, el dinero carece de importancia. Tenga o no tenga, lo gasta — sonrió —. Antes de ir a Madrid me prometió grabar su consigna con una aleluya de mosaico: «Dónde no comen tres, no comen cuatro».

—Recuerdo el día que lo dijo. Fue poco antes de San Juan, en aquella célebre merienda-cena.

—En casa no habrá nunca un solo mueble. Pero, desnuda y vacía como está, no la cambiaría por ninguna...

—Yo la adoro — manifestó Celia, recorriendo las paredes con la mirada —. Con gusto me quedaría a vivir aquí.

—Mucho me temo que tendrías que sentarte en el suelo — rió Elisa —. Antes de irse, Utah quemó el sillón de mimbre y la silla de tijera.

—Igual da. Me llevaría todos los muebles de casa y encenderíamos un buen fuego.

—Me gustaría saber qué cara pondría tu hermana si te oyese. Por cierto — añadió cambiando la entonación de la voz —. ¿Qué tal te llevas con ella?

—Mal — repuso sombríamente Celia —. Cada vez peor...

—No me digas — exclamó Elisa, cogiéndola impulsivamente de la mano —. ¿Ha ocurrido algo?

Celia bajó la cabeza y su mirada fue a posarse en un punto impreciso del suelo.

—Lo de don Julio, sabes, tiene trazas de ser lo

del cuento de nunca acabar. El pasado lunes me invitó a cenar en el Miramar. Yo no quería ir, figúrate, pero Matilde había leído la tarjeta, y tanta guerra me dió que no tuve otro remedio que ir.

—Habrase visto... El muy sinvergüenza...

—No puedes imaginarte siquiera qué rato llegué a pasar. Dos largas horas con él, a solas, sin ninguna ayuda...

—¡Pobrecilla! — murmuró Elisa solícita.

—Deberías haberle oído, Elisa. Me contó de cabo a rabo su vida y sus proezas, su *soledad,* sus desengaños... Luego, de pronto, bajó la voz y me dijo que buscaba una compañera para compartir su vida.

—Yo, de ti, le hubiese dicho que se confundía: que si buscaba una compañera, lo mejor que podía hacer era dirigirse al Asilo.

—Estuve a punto de decírselo, Elisa. Te juro que estuve a punto. No sabes el rato que pasé, con el tipo enfrente, mirándome mientras hablaba... Cuando dijo que le preocupaba el futuro de sus bienes y que deseaba tener un hijo...

—No, no es posible... ¿Te dijo eso, Celia? ¿Te dijo que quería tener un hijo?

—¿Que si me lo dijo? Y de qué manera... Me había cogido una mano entre las suyas e intentaba besuquearla.

—¡Dios mío! — murmuró Elisa —. Creo que voy a vomitar.

—Espera, espera, que esto no es todo. No sé si fue antes o después de declararse, confesó que pensaba en mí desde hacía tiempo, al enterarse de que yo era enfermera... «Las personas mayores, me dijo, necesitamos cerca de nosotros a alguien que sepa cuidarnos»...

—No, no puede ser. Esto es demasiado.

—Que me muera si te engaño. Así como lo dijo te lo cuento: una mujer para darle un hijo y una enfermera para cuidarle.

—¿Y dices que Matilde...?

—Deberías haberla oído cuando se lo conté. Creí que le iba a dar un ataque. Que si yo estaba chiflada, que si era irresponsable, que si estaba neurasténica...

—¡Pobre Celia querida! — dijo Elisa, atrayéndola hacia sí maternalmente.

—Lo peor — continuó ella con los ojos llenos de lágrimas — es que la historia aún no ha terminado... El viejo me envía flores todos los días y Santiago y Matilde quieren que vuelva a verle...

Un sollozo ahogado le impidió acabar la frase. Elisa le levantó el mentón, como para asegurarse de que lloraba y, atrayéndole suavemente hacia sí, comenzó a acariciarle la cara.

—¡Vamos, vamos — murmuró junto a su oído —, no seas chiquilla!...

Bajo el contacto reconfortante de sus manos, Celia intentó continuar:

—Todos se han puesto de acuerdo contra mí y no me dejan un segundo en paz... ¡No puedo más!... ¡No puedo más!...

—Calma, Celia. Un poco de calma.

Con un pañuelo, Elisa enjugó las lágrimas que corrían por sus mejillas.

—No tienes porque ponerte así, tesoro. Si no quieres volverle a ver, nadie puede obligarte. De modo que, ¡arriba esos ánimos!...

Ella la dejó hablar, con los ojos cerrados, abandonándose al tibio contacto de sus caricias:

—¡Eres tan buena conmigo, Elisa!... Si no fuera por ti y por Utah creo que me habría echado al mar hace tiempo.

—¡Vamos, no seas niña!... Esas cosas no se dicen ni aún en broma.

Y, mientras llena de piedad hacia sí misma, Celia rompía a llorar, aceptó las caricias que Elisa, en su ternura, se creía obligada a prodigarle, con la cara medio oculta entre los dedos.

*   *   *

Cuando Juana llegó al lugar de la cita, Atila la aguardaba ya. Ella lo vio surgir de pronto, las manos hundidas en los bolsillos, recortado contra la difusa claridad de las adelfas, como pidiéndole cuentas de alguna ofensa antigua.

—¡Ah! — dijo —. ¿Eres tú?

Atila permaneció unos segundos inmóvil, observándola, el rostro en la sombra, oscuramente hostil.

—Sabía que vendrías — se limitó a decir.

Con un ademán brusco intentó enlazarla por la cintura, pero ella se echó para atrás.

—Sí — replicó —, pero voy a marcharme en seguida. En realidad, he venido a decir que no podía... Sólo para cumplir con mi palabra.

El lugar dónde solían tenderse estaba a una veintena de metros del sendero. Como en sueños, Juana se sorprendió caminando hacia allí.

—No deberías haberlo hecho — dijo, mientras se abría camino entre las plantas —. Al final del Paseo me he encontrado con los vecinos de casa. Por suerte, no me han reconocido.

—Eres tú quien ha elegido el sitio.

—Además, en casa empiezan ya a sospechar. Al menos, Vicky se está oliendo algo.

—¡Y qué si se lo huele!... En cualquier caso no irá con el soplo a sus padres.

—La conoces poco... No me ha podido tragar nunca... Lo haría encantada... Y entonces sí que sería el fin...

Atila volvió a abrazarla por la cintura y esta vez Juana no repitió el ademán de retirarse.

—No, no sería el fin — dijo junto a su oído —. Al revés, sería tal vez el comienzo.

—¡Suéltame! ¡Estás borracho! Todavía hueles a vino...

—El delicado olfato de la señorita Olano — dijo Atila.

Asiéndola por las caderas fuertemente, le obligó a mirarle la cara: bajo la luna, su rostro le pareció más duro que nunca, como tallado a golpes de hacha.

—¡Oh, Atila! — murmuró.

El claro estaba a dos pasos de allí. Juana se dejó conducir como una niña, aturdida aún por el contacto de sus labios.

—Nuestro confortable hogar — dijo él, despojándose de la cazadora para hacerla servir de almohada—. La señorita de Olano detesta los sitios frecuentados.

—¡Oh, calla; si supieras!... ¡He pasado un miedo terrible!... Imagina si llegan a verme...

—Cuando uno se decide a hacer una cosa debe tener el valor de asumir sus responsabilidades.

—Sí, ya sé... En realidad, debería ser así. Pero yo no puedo, Atila... Sabes perfectamente que no puedo.

—Di mejor que no quieres... que te avergüenza salir conmigo.

—No, no es eso. Pero tengo que tomar precauciones. Si mi familia...

—Tu familia, siempre tu familia... A veces tengo la impresión de que todo lo restante se te importa un comino...

—Sabes bien que lo que dices es falso... Estoy contigo, ¿no?... Desde que te conozco, no he vuelto a salir con nadie.

—Sí, pero cuando estás con tus amigos, no dejas que me acerque. Entonces eres la señorita Olano. La señorita Olano alternando con gentes de su clase...

—Desenfocas las cosas. Ya te he dicho infinidad de veces que...

—Lo malo es que no le gustan los finolis esos... Para eso prefiere a Atila, un hijo de murcianos... Entonces, cuando nadie la ve, la señorita deja a sus amigos y se va a buscar al murciano que, en cambio, le hace pasar un buen rato...

—¡Atila! —exclamó ella, luchando por desasirse de su abrazo—, te prohíbo que hables así... Me repugna verte bebido...

—La señorita bien quisiera olvidar esos momentos... Cuando está así, con su murciano...

Haciendo un esfuerzo, logró desasirse, al fin. Atila volvió a tenderse en la hierba y encendió calmosamente un cigarrillo.

—Pensándolo bien —dijo, mientras su rostro se iluminaba por la llama del mechero—, tienes más razón que yo. A ti te conviene un tipo como Pablo.

—Me gustaría saber por qué mezclas a Pablo en eso —dijo Juana.

—¿Por qué no? —repuso él—. Es un buen chico, tranquilo, estudioso, educado... La clase de individuo que conviene a una muchacha.

—A veces, Atila, me resulta imposible adivinar lo que pretendes... Ahora mismo... te juro que no sé de qué me hablas.

—Además —prosiguió Atila sin oírla—, su familia es gente acomodada.

—Por favor —dijo Juana—. ¿Quieres explicarte?

—Me parece que hablo en castellano.

—Pues no sé qué quieres decir... Te aseguro que no entiendo una palabra.

—Estoy hablando de él y de ti... Creo que no puedo decirlo más claro.

El corazón de Juana batió, como un tambor tocado por un loco.

—¡Atila! —balbuceó—. Acaso...

—La idea se me ocurrió en La Levantina, al veros allí, juntitos.

Los ojos de Juana se habían llenado de lágrimas.

—¡Oh, Atila!...

Pasando el brazo por encima de su cuerpo, se inclinó buscando el contacto de sus labios. Pero Atila se volvió hoscamente de lado.

—¡Aparta! —dijo.

En lugar de obedecerle, Juana se recostó contra él y apoyó la mejilla contra su mentón.

—¿Estás celoso? —murmuró con una voz cuya alegría le sorprendió a sí misma—. ¡Amor mío!... ¡Mi amor adorado!...

Él mantuvo un silencio hostil, el cuerpo rígido bajo la caricia repetida de sus dedos.

—¿Estás celoso? —añadió aún—. ¿Es cierto que me quieres?

El viento agitaba las hojas agudas de las adelfas e inventaba efectos de luz sobre las hierbas del claro. Abanicada por la sombra de los arbustos, Juana contempló largo tiempo su rostro: los cabellos ensortijados y negros; las cejas espesas y obstinadas; los ojos feroces, casi minerales. Durante más de un minutos permanecieron pegados el uno al otro, en una especie de lucha silenciosa, jalonada de suspiros, el cuerpo al acecho y la respiración entrecortada. Luego, Atila la atrajo bruscamente hacia sí y Juana sintió junto a su oreja el roce de sus labios.

—A partir de mañana ya no tendremos que venir aquí, de tapadillo, como si fuésemos dos parias... Te llevaré a bailar al Oliva, como los otros. O a la bolera. Tendré dinero para ir donde te guste.

Le hablaba con la voz ronca, jadeante, de cuando estaba emocionado, y ella le escuchaba, inmóvil, incrustada contra su cuerpo, con los párpados bajos:

—Estoy harto de callejear por ahí como un Juan Nadie, mientras cuatro peor nacidos que yo lucen cuello de pajarita y se pasean en auto. Harto de tener que apartarme de ti cuando te encuentro por la calle. Harto. Harto.

—¡Oh, Atila! —dijo ella al fin—. ¿Vas a volver a trabajar? ¿Has ido a ver al dueño del garaje?

Pero él no pareció oír su pregunta y se limitó a acariciarle el pelo con las manos.

—Pero esto se ha acabado. A partir de ahora no tendrás ocasión de avergonzarte, como el otro día, cuando nos cruzamos en la plaza... ¡Cristo, lo hubiera molido a coces al macaco ese que te acompañaba!... Un tío peor hecho que yo, pero decente, porque en su casa tienen cuartos... Mañana seré como él. Podré pasearte por donde me dé la real gana...

Y aunque ella le preguntó de nuevo:

—¿Y cómo, Atila? ¿Has encontrado algún trabajo?

Él la besó otra vez en la boca, pero hizo como si no la escuchara.

* * *

El salón de doña Carmen resultaba pequeño para estas veladas. Cuando Elvira llegó, la mayoría de las damas de la Junta ocupaban ya las incómodas butacas de peluche, formando corro en torno a la dueña de la casa. Otros grupos pequeños charlaban en el tresillo

de la esquina y en el sofá intercalado entre los tiestos de palmeras.

—¡Elvira, hija, creíamos que no ibas a venir! Si
te descuidas, te quedas sin mantecado.

—La culpa ha sido mía —se apresuró a decir Flora—. Cuando llegó a casa eran las nueve y media,
pero yo estaba aún sin arreglar y le he hecho esperar
más de tres cuartos.

—No hace falta que nos lo digas, hija —exclamó
Magdalena—. Pareces la reina de Nápoles.

Apresuradamente acabó de engullir la tarta de
frutas y acarició el estampado de la falda con sus
dedos enjoyados.

—¿Me permites?

—La tela la compré en el «Dique», pero la he
cortado yo misma sobre un patrón de mi hermana.

—Es una preciosidad, mujer... Un verdadero pri-
mor...

—Pues yo lo encuentro algo llamativo... Aún, para
el verano...

—¡Bah, tontaina; nunca te había visto tan bo-
yante!... ¡Estás hecha un pimpollo como quien
dice!...

—¡Uy, qué exagerada!... ¡Si parezco un adefe-
sio!... Antes de salir estuve dudando de ponérmelo,
de miedo de que se rieran por la calle.

—¡Pues no vas a hacer pocas conquistas, tunanta!
Entre eso y la forma nueva de peinarte podrías qui-
tarte diez años.

—¡Bah, bah; no me toméis el pelo!... ¡Que estoy
acabada!... ¡Para el arrastre!...

—¿Para el arrastre? —exclamó María Luisa—. Ya
quisieran muchas chicas de veinte caminar con tu
donaire —se volvió hacia doña Carmen y le hizo un
guiño—. ¿No es verdad, acaso?

—Claro que sí... Precisamente el otro día lo estuvimos comentando con mi madre... A esa Florita, me decía, parece que los años le pasan de balde... Nunca le había visto tan joven ni tan guapa.

—¡Uy, uy, uy; me voy! Os estáis burlando de mí. Fijaros: estoy más encarnada que un tomate.

—¡Si serás terca! —exclamó Elvira—. ¿No te lo he dicho yo al salir de casa? —se volvió hacia las otras, con una sonrisa—: Si no llego a intervenir, quería volver a cambiarse.

Las damas de la Junta expresaron su protesta de un modo ruidoso. Luego, doña Carmen agitó la campanilla y la sirvienta apareció con la bandeja de las pastas.

—Tomad, acabároslas —dijo, separando su silla de forma que el corro resultara más amplio—. Ahora mismito os servirán el mantecado.

Elvira cogió media docena de pasteles y procedió inmediatamente a liquidarlos. Engullía los hojaldres con rapidez, de un solo bocado.

Las lionesas las vaciaba previamente, con un hábil movimiento de la lengua, de su relleno de crema o chocolate.

—¡Estaba medio desfallecida! —se excusó con la boca llena—. Desde que he salido de casa, a las tres, me he pasado la tarde en danza.

—¿Te has acordado de ir a ver a Consuelo? —preguntó Magdalena.

—Sí, pero no estaba en casa. Me ha recibido su sobrino, ese que es premio extraordinario.

—¿Y la señora Rovira?

—Me ha prometido ir. La he pillado camino de la estación. Se iba a Barcelona, a casa de su madre.

—¡Vaya, vaya! —dijo María Luisa—. No sabía que doña Teresa anduviera ya buena.

—Pues sí. El mes pasado le quitaron el yeso de la pierna.

En la bandeja pequeña quedaban los restos de la tarta de frutas. Doña Carmen le sirvió una ración, untada de confitura.

—¿Sabéis a quién he ido a ver, también? —preguntó Elvira, aprovechando la pausa—. A Elisa, la mujer del pintor chiflado.

Consciente del interés de sus amigas, mordisqueó un pedazo con orgullosa calma:

—Hacía tiempo que quería meter las narices en el piso... Había oído contar cosas tan extrañas... Pues bien, venía por Buenaire de ver a Consuelo y me dije: ¡Qué córcholis!, voy a subir a saludarles.

—¿Subiste? —exclamó, estupefacta, Ángela.

—Sí; no pude resistir la tentación. Quería saber si era verdad lo que se dice... Anteayer, en el colmado, contaron que estaban en las últimas... Que nadie quería fiarles...

—¿Y qué pretexto diste para asomarte allí?

—Invitar a Elisa a lo del Asilo.

—¿Y qué? —preguntó María Luisa, con los ojos brillantes—. ¿Pudiste ver la casa?

—Claro que la vi. Estaba vacía, sin un solo mueble y con las paredes llenas de humo, como si dentro hubieran encendido un fuego.

—No es posible.

—Que caiga ahora mismo muerta si invento una sílaba... Ni mesa de comedor hay, ya ves lo que te digo...

—¿Y Utah? ¿Estaba allí?

—No, no lo vi. Elisa me dijo que estaba en Madrid desde hacía una semana.

—Historias. Lo más seguro es que esté en casa y no se atreva a salir.

—Vete a saber. Según el dueño del colmado deben dinero a medio Las Caldas.

—Es que hay gente que, vamos, no sé cómo pueden circular por la calle.

—Yo, si de mí dependiera, haría que los encerraran...

—Dime si no es una vergüenza...

—Peor que una vergüenza: una plaga.

—Esta es la palabra. Una plaga.

Hubo una larga pausa. Las señoritas sentadas en el tresillo del rincón callaban también, ocupadas en chupar golosamente la roja masa de mantecado que sobresalía de los cucuruchos de barquillo; de vez en cuando los apartaban un instante de los labios como para tomar aliento y, después de sonreírse unas a otras, reanudaban el ataque con un leve suspiro.

—¿Has ido a ver el Comedor? —preguntó, de pronto, María Luisa.

—¿Verdad que ha quedado mono?

—Con las cortinas y los muebles... No parecía el mismo.

—Ya sé que es una tontería —dijo doña Carmen—, pero me siento emocionada como una criatura.

—Pues no es ninguna tontería, mujer. Aunque he trabajado mucho menos que tú, también yo...

—Verdaderamente, si no llega a ser por ti, creo que no se hubiera hecho nunca.

—Al ritmo que se llevan aquí las cosas y, con la cachaza del alcalde...

—Desde luego, puedes decir bien alto que el Comedor es obra tuya.

—Si no hubiera sido por vosotras —suspiró doña Carmen—. ¡Pobrecita de mí!...

—¿Nosotras? —dijo Elvira—. Ayudarte a ratos perdidos.

—Nuestros ancianos se merecen esto y mucho más. Estaban tan desamparados, los pobres...

—Allí se sentirán como en su hogar... ¡Con tanta luz y todo tan limpio!...

—El alcalde acaba de enviarme la lista de los homenajeados. Figuraos que uno de ellos estuvo en la guerra de Cuba...

—Sí, el abuelo de Josefa, la del mercado— dijo Flora—. ¿No lo sabías?

—¿Quién? ¿Aquel viejecito que lleva el gorro blanco?

—Sí, ese tan simpático que reparte avellanas a los niños.

—También he de ponérsela al suegro de Martín, el del *Refugio*.. Este mediodía he hablado un rato con Julia y me lo ha dicho.

—Creo que está medio guillado —dijo Elvira—. El otro día mis sobrinos le vieron haciendo eses delante de la iglesia, borracho como una cuba.

—¡No me digas!... Hasta ahora no había bebido nunca.

—Julia me lo ha contado todo —explicó doña Carmen—. Según parece, al pobre le falta algún tornillo...

—Es bien triste, a sus años.

—¡Qué quieres, hija! —suspiró Elvira—. Cosas de la vida...

La sirvienta entró con otra bandeja de dulces: doña Carmen aprovechó la pausa para deshacer el nudo de alzapaños y dejar caer las pesadas cortinas amarillas. La araña del techo despedía reflejos irisados. El aire que se colaba por la puerta del despacho hacía tintinear sus cuentas de vidrio.

—Con este viento —dijo doña Carmen— los vecinos de atrás, que habían dejado la ventana mal cerrada, se han encontrado los cristales hechos trizas.

Elvira abandonó discretamente el corro y fue a reunirse, en el sofá, con sus amigas.

—¿Habéis visto a la pobre Florita? —murmuró bajando la voz.

—Precisamente hablábamos de ella.

—¿De dónde habrá sacado ese traje?

—La pobre parece disfrazada.

—Cuando la he visto, apenas podía aguantar la risa...

María Luisa se había levantado también y se acodó en el respaldo de su silla.

—¿Qué pasa? —susurró.

—Nada. Hablábamos de Flora...

—Ya me lo imaginaba. Al ver que os reíais...

—¿Te has dado cuenta de su falda?

—Figúrate. No podía quitarle la vista de encima.

Todas rompieron a reír, excitadas.

—¡Uy, me voy! —dijo María Luisa—. Se va a dar cuenta de que nos estamos riendo de ella.

—¡Que va! La pobre se imagina que nos tiene deslumbradas.

—Además, está hablando con Ángela. Seguro que ni siquiera nos ha oído.

—Entonces me voy yo —dijo Elvira—. Si habla con Ángela no quiero perderme una palabra.

De vuelta en el corro, doña Carmen le alargó un platillo.

—Toma, hija. Aquí tienes más dulces.

—Yo nunca he salido de España —decía Ángela—, pero, con sólo ver lo que se asoma, me figuro que debe ser de espanto.

—Estábamos hablando de la inmoralidad que hay afuera —le explicó Lola—. Magdalena dice que es igual en todas partes.

—No, no he dicho eso. Únicamente digo que la culpa no es sólo de los turistas.

—Magdalena tiene razón —intervino Elvira—. La misma desvergüenza hay ahí, que en Francia, o en la Chimbamba.

—¡Oh, no, no me digas eso! —protestó Flora—. Aquí, por fortuna, se conservan los principios. Pero en Francia...

—¡Bah, lo mismo que aquí! Tal vez un poco más al descubierto, porque hacen menos caso.

—Cuando estuve la última vez —dijo Flora enrojeciendo— iba en un compartimiento de primera, lleno de gente... De pronto, pasamos por un túnel... Pues bien, apenas se hizo oscuro, el señor que tenía al lado quiso aprovecharse...

—No me digas —exclamó Ángela.

—Lo peor del caso —continuó Flora, sofocadísima— es que el buen hombre lo hacía con la mayor naturalidad del mundo y pareció muy sorprendido cuando, en lugar de dejarle hacer, le propiné una bofetada.

—Habráse visto —murmuró ingenuamente Lola—. En mi vida había oído nada semejante.

—A la pobre Florita siempre le ocurren cosas raras —susurró Elvira a la oreja de doña Carmen—. El otro día me contó que en París vio una revista donde los hombres salían a escena tal como habían venido al mundo... sin nada...

—Pues yo creo, hija —continuaba Flora—, que allí deben estar acostumbrados. Según pude darme cuenta, el caballero del lado no fue el único en... bueno, y las restantes mujeres del vagón ni siquiera protestaron.

—...te doy mi palabra —aseguró Elvira, dirigiéndose a doña Carmen—. Luego, como se dio cuenta de que no me lo creía, empezó a explicarme que lo hacía Chevalier y que el teatro estaba lleno de mujeres con prismáticos.

—A mí que no me digan —decía Lola—. A mujeres así, haría que las empalaran.

—Y eso que estaba entre personas de alta sociedad... Imagínate cómo serán las de clases más bajas...

—A veces son mejores que las otras —observó Magdalena.

—Sí —dijo doña Carmen chascando la lengua—. Fíate de ellas.

—Parece que la cultura vuelva a la gente más salvaje...

—Precisamente lo pensaba yo ese verano... Con pasear la vista por las playas...

—Yo creo que Florita tiene razón. En España, al menos, aún queda gente honrada.

—Sí, gracias a Dios —concluyó Flora—. De otro modo, al paso que vamos, pronto no sabríamos dónde meternos.

Y, como muñecas automáticas movidas por un mismo resorte, las damas que hacían corro en torno a la patrona, manifestaron su aprobación unánime con delicados movimientos de cabeza.

*　　*　　*

Cuando a la hora de despedirse, Pablo le preguntó si iría por la noche a la bodega, Atila no se dignó siquiera contestarle. La autoridad que ejercía sobre su amigo tenía esto de bueno: hiciera lo que hiciese, Pablo se sometía siempre, sin indagar las razones de sus actos. Atila le hablaba siempre de un modo brusco. «Tráeme esto. Haz aquello», le decía. Y Pablo cumplía lo ordenado, contento de poderle rendir algún servicio, aunque sabía muy bien que él no iba a agradecérselo o que, en caso de estarle agradecido, se esforzaría en ocultarlo.

No importaba que su gestión fuera difícil. En una ocasión, Pablo había robado para él la caja de caudales de su padre. En otra, había pagado con sus ahorros el bolso que dio de regalo a Juana. En ambos casos Atila se limitó a sonreír: «Bravo. Con el tiempo quizá logre hacer de ti algo aprovechable». Pablo se remitía enteramente a su opinión, aceptaba sin protestas su jefatura y parecía casi orgulloso de su papel de comparsa. Su abnegación tenía algo de animal: después de cada golpe, volvía a ofrecerle la mejilla; era como un pobre can apaleado.

Aquella noche, no obstante, había intentado discutir: «Déjame ir contigo, Atila... Ya sabes que en casa no tengo con quién salir... Si te vas, no podré ir a ningún sitio»»; pero Atila no había hecho caso de sus lágrimas. El apretón de manos con Juana le había llenado de furor y aquélla le pareció una magnífica oportunidad para vengarse. Pablo no tuvo más remedio que ceder y Atila le gritó, mientras se iba: «No esperarás que te pida perdón, encima. Si hay algo que me chinga de verdad es verte poner cara de mártir».

No; con gentes como Pablo no había nada que hacer. Atila lo tenía todo el día detrás, como una sombra, siguiéndole dondequiera que fuese, dándole dinero cuando quería beber, cuidándolo si caía borracho, imagen fiel del amigo bueno, silencioso, abnegado. Ahogando un bostezo entró en el interior de la bodega y pidió a la mujer un litro de vino blanco. En la trastienda, los gitanos cantaban con gran bullicio, acompañando las estrofas de la copla con voces y palmadas:

> *Señor San José,*
> *Mire que se casa*
> *La Virgen María*
> *Con el Patriarca.*

El más joven bailaba en mangas de camisa, los dedos crispados en torno a unas invisibles castañuelas. Los otros le animaban a proseguir con sus gritos, le daban de beber cuando se detenía y lo empujaban de nuevo a bailar, borrachos y excitados.

—Anda, Pepe.

—Macho, Pepe.

—Que te los comes a tos.

—Que son tuyos, hala.

La música creaba entre los mirones una complicidad singular. Las palmas de las manos sonaban al unísono, el estribillo de la canción se repetía con una insistencia obsesiva y Pepe, borracho como una cuba, agitaba sus castañuelas invisibles, se contoneaba epilépticamente, cantando:

> *Señor San José*
> *Señor San José*

En la mesa de la esquina, un grupo de extranjeros seguía con gran atención el espectáculo: dos hombres y dos mujeres de pelo rubio que cambiaban impresiones en voz baja, sonreían a todo el mundo e intentaban inútilmente seguir el ritmo de las palmas.

—Han pedido Coca-Cola, los gachós —decía alguien a su lado—. Pa beber eso no sé por qué vienen a España.

En un extremo de la barra, el *Canario* soltaba un discurso, delante de un vaso de cerveza, a todos los que querían escucharle.

—*Los que movidos por una ceguera estúpida o criminales apetencias...* —decía con voz gangosa.

—¿Qué le ocurre esa noche, abuelo? —preguntó Atila, pasándole la mano por la espalda.

—*...se abandonan al murmurar necio de las gentes mezquinas...*

—Ni le oye a usted —dijo la mujer del delantal—. Lo que es hoy, lleva una de las grandes.

—*...no olvidándose de quienes, con pulso firme, acierto constante, y tenaz desvelo...*

—Si se lo digo... Cuando se le da por soltar su rollo no hay dios que le pare.

—Pues aun ahora parece más calmado —dijo uno de los obreros de la fábrica de gas—. Esta noche, cuando volvía de ver a la parienta, me lo encontré pegando gritos en medio de la acera...

—Y es un buen hombre —explicó la mujer del delantal—. Cuando está sereno y no va bebido, no conozco persona más simpática y tratable.

—Cuando a un individuo le da por el trago... —dijo el obrero chascando la lengua.

—*Una libertad, sí, pero una libertad ordenada. Una libertad con orden, disciplina y jerarquía, para vibrar al unísono, frente a los naranjos.*

—¡Caray! —exclamó Atila—. El tío se imagina lo menos que es locutor.

—Es una lástima que esté siempre así. Yo hago todo lo posible para no darle de beber, pero es inútil. En cuanto sale de aquí se va a otro lado.

—Sí; ya se sabe. Mientras se tengan las perras en el bolsillo, el vino nunca falta.

—Ahí donde le ve, sucio, sin ropas, hecho un mendigo, tiene el título de doctor. Tan cierto como me llamo Magda.

—Ya la creo a usted, mujer. En esta vida, no se

sabe por qué, los unos van para arriba y los otros...

—Cuando era niña estuve gravísima de tétanos y él me salvó con una inyección de no sé qué. Pues bien: como sabía que mi padre no andaba bien del asunto, no quiso cobrarle nada.

—Que sí, mujer, que a veces porque es uno demasiado bueno la gente le sube encima y, por pedazo de pan, acaba desgraciado.

—El pobre ha tenido muy mala suerte; lo ha adivinado usted. El único varón de la familia murió durante la guerra y las hijas que le quedan son un par de pánfilas. Pa mí son ellas las culpables de que ande ahí tirado.

—¿Tirado? —exclamó el *Canario* de pronto, volviéndose hacia la mujer—. ¿Quién dice tirado?

—Vamos, don Elio, váyase usted a dormir. Lo que es hoy, ya ha bebido bastante.

—Bastante, restante, cuadrante, mangante —dijo de un tirón.

—Como versificar, versifica —comentó burlonamente Atila.

—Pues claro que versifico... Soy poeta, esteta, asceta, de Creta.

—Don Elio, acabe usted. Ahora mismito vamos a cerrar.

El *Canario* quiso consultar la esfera del reloj, pero perdió el equilibrio. Sus manos describieron un movimiento convulso, buscando algo a que agarrarse. Atila le tendió las suyas y lo atrajo riendo hacia la barra.

El viejo lo miró con el ceño fruncido:

—Ustedes confunden libertad y libertinaje —dijo con voz áspera.

Quería añadir algo más, pero se le trabó la lengua. Luego de contemplarles con aire estúpido, cerró los ojos y el obrero aprovechó la ocasión para arrastrarlo a una de las mesas.

—¡Eh, despacito, joven!... A mí nadie me manda.

Inclinado hacia adelante, de cara a la pared, empezó a vomitar encima de las cajas.

—Lo que necesita —dijo el hombre a Magda— es un café bien cargado.

—Cuide usted que no ensucie la mesa. En seguidita se lo traigo.

Los turistas seguían la escena con interés. Hacía un buen rato que habían acabado de beber la Coca-Cola y golpeaban la mesa para llamar la atención de Magda.

—¡Ya va, ya va! —gruñó la mujer—. Menos prisa, que aquí aún no son los amos.

Atila terminó de beber su botella de vino y se fue a la trastienda a ver a los cantores. Pepe bailaba todavía la misma tonadilla, pero sus movimientos habían perdido su antiguo garbo. El pelo le caía en anillas encima de la frente. Sudaba. Sus compañeros hacían circular la manzanilla con rapidez. El que bebía agarraba la botella por el gollete, empinaba el codo, echaba atrás la cabeza, se atizaba unos dedos y la pasaba al vecino. Luego continuaba la copla con más brío que antes, jaleando a Pepe con piropos e insultos, feroces y apasionados.

Al final de cada estribillo los más ágiles se turnaban para competir con él: plantándose enfrente suyo con aire de desafío, parecían retarle a un singular combate. Después, uno de los mirones pagó un litro de ron y le entregó la botella en medio de aplausos.

Pepe tenía los ojos brillantes y la camisa manchada. Al alzar el codo, el líquido le resbaló por el mentón y, en el suelo de cemento, se formó un pequeño charco. Durante unos segundos giró sobre sí mismo igual que una peonza y, antes de que nadie pudiera prevenirlo, se derrumbó sobre uno de los bancos.

La animación cesó de un modo instantáneo. Los gitanos acudieron a reanimar a su amigo con abanicos, bofetones, compresas de agua. La trastienda recuperó su aspecto de siempre con su mugriento techo y sus muros cuarteados. Hasta la bombilla pareció perder su voltaje. Tan sólo las muchachas rubias del calendario que anunciaban una marca de bebidas, ponían una nota de color, irreal por lo brillante.

Pepe fue conducido en volandas al exterior, a que le diera un poco el aire. Junto a la barra, la velada languidecía también. Los turistas continuaban acodados en la mesa, contemplando con aire perplejo las idas y venidas de los gitanos borrachos. El *Canario* se había bebido su taza de café y roncaba apoyado contra la pila de cajas.

Atila pagó un litro de vino y salió a la calle. El vino se le había subido a la cabeza: también andaba falto de aire. Desde la puerta, alguien le gritó:

—Ahora a dormir... Que mañana juegas con el Caldas.

El viento que soplaba del mar cimbreaba la doble hilera de cipreses del camino que conducía a su barriada. La luz de la única bombilla descendía como una microscópica llovizna de motas de polvo: suspendida de un cable sobre el centro de la ruta, el vendaval la hacía oscilar como un columpio, de forma que el flujo y reflujo de la onda embestían, como un mar de cal, los campos cubiertos de jaras y de aulagas.

Las barracas adosadas al flanco de la colina no tenían luz. Un amago de luna, entre el negro celaje de nubes que se desplazaba hacia el Oeste, iluminó momentáneamente sus quebradizas siluetas, como un flash de magnesio. Junto a las rocas, el mar embestía sordamente, festoneado de largas crestas blancas.

El camino trepaba en dirección a la colina, bordeado por una sucesión escalonada de cultivos, protegidos por bardales y alambradas. Atila hundió las manos en los bolsillos y aminoró la velocidad de sus pasos. De pronto se detuvo a la mitad e intentó liar un cigarrillo. No pudo a causa del viento y volvió a guardar la petaca. Luego, con una resolución brusca dio media vuelta y torció por el atajo que conducía hacia la fábrica.

Heredia, el gitano a quien don Julio había contratado meses antes como guardián nocturno, aguardaba sus noticias desde las cuatro de la tarde. Atila consultó la esfera del reloj: la una, no, la una y media. Aquella era la mejor hora de encontrarle.

Procurando no hacer ruido, atravesó la desierta explanada hasta la verja de hierro de la puerta. Atila levantó cuidadosamente la aldaba que Heredia había dejado sin cerrar. Al ajustarla percibió un ruido de pasos en la grava y descubrió la sombra de su amigo detrás de la caseta.

—¿Qué hay? —dijo Heredia, viniendo a su encuentro.

—Todo arreglado.

El gitano le hizo pasar al interior de la caseta. Una lámpara de petróleo iluminaba el jergón con las mantas revueltas, la tartera donde Heredia guardaba la comida y un montón informe de historietas ilustradas.

—¿Ha ido a guipar el chaval?

—Sí. Ha estado allí esta tarde.

Atila le ofreció de fumar. Su amigo vació un montoncito de picadura sobre la palma de la mano.

—¿Y tú? ¿Te has entendido con el tipo?

—Sí. A las seis daremos el cambiazo.

—¿Qué pretexto le diste?

—Nada. Que prefería tener libre el sábado.

—¿Te dará las llaves, seguro?

—¡Rediez! — gruñó Heredia —. ¿No te lo he dicho ya esa tarde?

Hubo un breve silencio. Sentados en cuclillas sobre el jergón fingían contemplar con interés el amasijo de historietas ilustradas.

—¿A qué hora iréis? — preguntó Heredia al fin.

—Hacia las ocho.

—El baile empieza a las ocho menos cuarto.

—Por eso. Seguro que irá algo más tarde.

—Yo os esperaré donde te dije.

—Descuida. Seremos puntuales.

—Luego me iré con el chuzo a la glorieta.

—Saluda a la gente que pase. Que vean que estás allí de guardia.

—No pases cuidao. Que, puesto a gritar, vamos, me oye hasta el cura...

No había nada que añadir. Atila continuó, sin embargo, clavado en el jergón, presa de una desazón inexplicable.

—Gitano — dijo.

Tendido sobre las mantas, boca arriba, Heredia se entretenía en dibujar con el humo, una cadena anillada de espirales.

—Gitano — volvió a decir.

—Qué.

—Estoy enamorado.

La onda luminosa del cigarrillo afogonó, por un momento, los rasgos de su cara.

—¿Y qué? ¿No lo estuviste otras veces?

—Sí; pero esta vez me ha dado en serio.

—¿En serio? ¿Qué quiere decir en serio?

—Te lo juro por mi madre, gitano.

Hubo una breve pausa, puntuada por el chillido histérico de un cárabo.

—¿Conozco a la gachí?

—Sí. Es la del domingo.

—¿La rubiales aquella?

—Sí. La que llevé a la Levantina.

—Hubiera debido figurármelo.

Atila trataba de escrutar, en la penumbra, la expresión del rostro del gitano.

—Estás chalao.

—Sí.

—Esa mujer no es para ti.

—Sí.

—Es una señoritinga que sólo piensa en casarse.

—Sí.

—Con un gachó de su clase que tenga la cartera bien forrada.

—Sí. Sí. Sí.

—¿Y qué con tanto sí?

Atila estuvo a punto de decir: Mañana yo también tendré cuartos, pero, en su lugar, repuso:

—Pues nada. Que estoy como una cabra.

* * *

Delante de los faros del automóvil, la carretera parecía una larga cinta blanca. Deshojados por el otoño, con sus muñones al desnudo, los plátanos que la bordeaban se defendían miedosamente de la luz, elevando las ramas a lo alto con aterrorizados ademanes. La llanura se extendía, punteada por docenas de lucecitas, hacia las curvas negras de las montañas y la luna se barruntaba entre las nubes como una mancha de luz, redonda, plateada y brillante.

Recostado en el fondo del asiento, Utah contemplaba, lleno de regocijo, la rápida sucesión de objetos que desfilaban junto al taxi. En el bolsillo tenía una botella descorchada de Fundador y. de vez en cuando, se la llevaba a la boca de un modo mecánico. En el asiento delantero los dos hombres bebían también: el coñac les había puesto de un excelente humor y charlaban con él fumando gruesos habanos.

—Johnny.

—¿Qué hay, jefe?

—Aquel coche...

—¿Usted cree?

—Es de la otra banda.

El taxista aceleró bruscamente, a la caza del vehículo, cuyo lucecita parpadeaba en la distancia. El viento se estrellaba furiosamente contra los vidrios y se colaba por los resquicios como una caricia helada.

—Johnny.

—A la orden.

—Al pasar toma nota de la matrícula.

—Descuide usted, jefe.

—Apuesto algo a que también va a Las Caldas.

La distancia entre los dos coches disminuía de un modo sensible. El otro era un Peugeot oscuro, con el portamaletas atestado. Pero, antes de que Johnny pudiera alcanzarle, se desvió hacia la derecha por un camino de carro.

—¿No os lo decía?

—El muy cochino...

—Se ha dado el piro.

—Sí. Se ha olido la jugada.

La excitación producida por el hecho se mantuvo hasta Algaro. Allí Johnny detuvo el taxi frente a la puerta de un bar y Utah entró y encargó tres raciones de tapas variadas.

—¿Qué, hay gazuza, señores? —exclamó el mecánico—. Acabamos de tirarnos más de cien kilómetros detrás de un Pegaso grande como un acuario y, cuando le íbamos a coger por nuestra cuenta, el muy cobarde, ha rehuido la carrera.

—Por cierto — dijo Utah—. ¿No ha visto usted pasar un coche con la bandera pirata?

—Es el de los enemigos — explicó Johnny—. Cuando lo vea no deje de avisarme.

Con una sonrisa, el hombre colocó sobre la barra una bandeja de ensaladilla rusa, con huevos duros, mariscos y legumbres variadas.

—¿Para beber?

—Una botella de tinto y tres cristales.

Johnny se encargó de servir. Brindaron:

—Por la opresión de los tullidos.

—Por los náufragos de la Kon-Tiki.

—Por la aniquilación de los Mau-Mau.

La sonrisa del hombre del bar era como una raja de melón blanco.

—Perdone que le haga una pregunta — dijo al fin—. ¿Es usted actor de cine?

Utah apuró su vaso de tinto.

—No. Soy diplomático.

—¡Ah!... Ya me lo parecía... — su rostro asumió una expresión triunfal—. Su cara... La había visto en algún sitio...

—Es muy posible — dijo Utah —. La princesa Margarita y yo anunciamos el «Usted también será Kolynosista» en los diarios.

—Si usted es diplomático —dijo Johnny, haciéndole un guiño —, entonces, yo soy obispo.

—Hagámosle una interviú — sugirió el mecánico con los ojos brillantes—. Una interviú con el embajador de los Galápagos.

—Aquí, Radio Navalcarnero en período de pruebas — Johnny hizo la sintonía con la boca —. ¡Atención! ¡Atención! Hablo. Hablo.

—Entrevista con el excelentísimo señor embajador
de las Galápagos.

El mecánico había puesto una mano sobre el hombro de Johnny. Con la otra volvió a llenar el vaso de
vino y se lo llevó apresuradamente a los labios.

—Preguntémosle si su país desea estrechar los
vínculos que le unen a la Madre Patria — dijo.

—Preguntémosle si se siente emocionado de pisar
nuestra tierra — añadió Johnny.

—Preguntémosle si es sincero su amor por España.

El litro de vino se había acabado. A una señal de
Utah el hombre volvió a llenar los tres vasos.

—Cuando lleguemos a Las Caldas — dijo Utah —
plumaré al chupasangres de don Julio. Le mangaré
hasta el último chavo.

—Si quiere usted que le ayudemos, jefe — propuso
Johnny —, no tiene más que decírnoslo.

—Sí. Avísenos usted e iremos a echarle una mano.

Con dos botellas de coñac de repuesto emprendieron de nuevo la marcha. Antes de salir, Utah dijo
al hombre:

—Si los del Peugeot van a ayudar a don Julio,
mándeme usted un telegrama.

Afuera soplaba un viento frío. El pueblo parecía
desierto y el cielo se había despejado. El polvo acumulado a los bordes del camino formaba tolvaneras invisibles que remolinaban furiosamente por la calle.

—A por don Julio — dijo el taxista al arrancar.

—A por don Julio.

—Lo pescaremos.

—Lo liquidaremos.

—Lo haremos pedazos.

Atravesaron una meseta con cráteres y hendiduras. Pasaron un río sobre el que la luna hacía visos, como una ráfaga de escamas plateadas. Treparon por una pendiente rocosa erizada de arbustos. Desembocaron en un valle donde los pueblos eran como familias de luciérnagas, como diminutas vías lácteas.

—Estamos ya en Aragón — dijo Johnny.

—Tenemos que celebrarlo.

El mecánico descorchó la botella con la navaja abrelotodo. Utah bebió el primer trago.

—Antes de que nos demos cuenta — dijo Johnny —, estaremos en Cataluña.

Media hora después el nivel de la botella había descendido a la mitad y la cabeza de Utah era un tiovivo de deslumbrantes imágenes.

—Cuando veas un pueblo decente — dijo al taxista — párate. Estoy en viaje de inspección y no quiero perderme detalle.

Cerca de Calatayud se detuvieron en un parador a tomar un bocado. A aquella hora estaba casi vacío y los dos empleados dormitaban.

—Perros calientes para los tres — encargó Utah —. Entre tanto, pónganos unos chatos.

A su lado, en la barra, había un joven con cara de sueño. Utah guiñó un ojo al taxista y se encaró con él de pronto.

—¿Conoce usted a don Julio Álvarez?

—No. No sé quién es.

—Tú — dijo dirigiéndose a Johnny —, dice que no sabe quien es.

—Pues no tiene nada de particular — repuso el joven con una curiosa entonación fatigada —. Yo he nacido en este pueblo y no me he movido de aquí.

—Don Julio es el dueño de la fábrica — dijo Utah.

—Don Julio es un chupasangres — añadió Johnny.

—Eso es: un chupasangres—Utah se llevó la mano a la boca y susurró junto a su oído—: Venimos expresamente de Madrid para cargárnoslo.

—Ustedes sabrán lo que se hacen — repuso el chico.

—¿Ha oído, jefe? — exclamó el mecánico, con aire escandalizado—. ¡Vaya modales!

—Pues no sé qué debe creerse el gachó ese — dijo Johnny —. Acodado en la barra, con ínfulas de príncipe... Que ni Crar Gable, anda.

—Yo no tengo ínfulas ni les he molestado a ustedes —, repuso el joven —. El señor se ha dirigido a mí sin conocerme y yo no he hecho más que contestarle.

—¡Uy, uy, uy; qué susceptible!... Cualquiera diría que le mentamos a su madre...

—¡Bah, dejadle en paz!... —dijo Utah —. Es un elemento sin representación alguna, pesado e igno-rante. Don Julio lo ha enviado aquí para soliviantar los ánimos.

—Pues que no le pase nada — dijo Johnny.

—Eso. Que no le pase nada.

El chico empezó a murmurar que él no había nacido de gente rica, pero que no era menos que los otros y que tenía más educación que muchos que presumían y que no se dejaba faltar por nadie.

—¡Pesado! — le dijo Utah, con voz dulce —. Eres un pesado.

Sin saber cómo se encontró de nuevo en el coche con Johnny, el mecánico y una botella sin estrenar entre las manos. Al pagar al de la barra había hecho un recuento rápido de su fortuna: dos billetes de cien y uno de veinticinco. Don Julio, sólo don Julio podía salvarle.

El taxi atravesaba en tromba los pueblos dormidos. Cada vez que tropezaba con alguien, Johnny echaba mano al freno y Utah asomaba la cabeza por la ventanilla y preguntaba:

—¿Ha visto usted a don Julio Álvarez?

Luego, sin aguardar la contestación del individuo, le decía:

—Pues si lo ve, pónganos un telegrama.

Antes de llegar a Zaragoza ofreció coñac a un guardia civil que hacía la ronda por la carretera envuelto en una manta.

—Tenga —dijo—. Bébase un trago.

—¡Caray!... — exclamó el guardia con una sonrisa — ¿Van ustedes de boda o les ha tocado la lotería?

—Ni una cosa ni otra — repuso Utah, solemne —. Somos perros de San Bernardo.

—Pues gracias, hombre—el guardia bebió con aplicación—. Muchísimas gracias.

—Le advierto que está envenenado — dijo Utah.

—Nada. Que van ustedes de broma, ya lo veo.

—¿De broma? — exclamó el taxista —. ¡Que no le pase nada!

—Eso. ¡Que no le pase nada!

Arrancaron. Desde la ventanilla, Utah le gritó:

—Si ve a don Julio Álvarez...

—...mándenos un telegrama —completó el mecánico bostezando.

La carretera, otra vez. Utah se acostó en el asiento y cerró los ojos. Medio en sueños tuvo la sensación de atravesar llanuras, montes, pueblos, valles. Luego se sintió desplomar como por un precipicio y reclamó repetidas veces socorro con voz ahogada. Pero su garganta no emitió sonido alguno.

Sin sobresaltos, los faros apuntados a lo lejos como brochazos de pintura, el automóvil avanzaba, avanzaba...

SEGUNDA PARTE

Cuando abrió los ojos las agujas fosforescentes del despertador señalaban las ocho menos cuarto. Don Julio permaneció un buen rato perfectamente inmóvil, la vista fija en el chirlo de sol que atravesaba el postigo de parte a parte. Después, incorporándose, buscó a tientas la oblonga perilla de la luz y, endosando sus viejas chinelas de punto, se levantó a abrir la ventana.

Humedecido aún por el rocío, el jardín se esponjaba a la luz del sol como embebido de una paz secreta. Acodado en el alféizar, don Julio contempló la frondosa alameda de eucaliptos, las antiguas macetas despintadas, los macizos de adelfas. La grava de los arriates verdeaba, recién peinada por el rastrillo. Frente al balcón, el magnolio parecía brillar con luz autónoma, abanicado por el pay-pay de las palmeras.

Don Julio fue al cuarto de baño y abrió el grifo de la ducha. Antes de meterse bajo el agua, no pudo vencer la curiosidad y se estudió en el espejo como quien se ve por primera vez. Los pliegues carnosos de su estómago, las venas azules de los brazos y las piernas, le produjeron una penosa impresión. Meses atrás, el médico le había aconsejado un poco de reposo: «Ya no es usted un mozo, don Julio. A sus años no se pueden hacer excesos.» Ahora, don Julio hubo de reconocer que el médico tenía razón. De un tiempo a aquella parte, ocupado tan sólo por sus asuntos, había descuidado lamentablemente la higiene y salud de su cuerpo.

No, no era viejo aún. Llevando una vida sana, sin alcohol, ni tabaco, ni burdeles, podía funcionar bastantes años. Con la esponja burbujeante de jabón, don Julio se restregó rabiosamente la espalda. El agua de la ducha humeaba y empañaba el espejo. Durante largo rato, se abandonó a su agradable caricia. Luego se envolvió en el albornoz y apoyó los pies en el suelo.

La sirvienta había colgado el traje en el armario. La camisa de cuello duro, como siempre, cubría el respaldo de la silla. Al ponérsela, don Julio cogió la carta del escritorio y la releyó mientras se vestía: «*Esperamos que andes bien de salud, querido tío, y que el estómago no haya vuelto a molestarte... Ya sabes cuánto nos interesa que andes bueno, pese a que la labor profesional de Lucio nos impida venir a verte como sería nuestro deseo...*»

Don Julio la volvió a meter en el sobre y la rompió en menudos pedazos. Vestido ya, bajó al vestíbulo. La puerta del comedor estaba abierta y la bandeja del desayuno humeaba sobre la mesa. Carmen trajinaba en la cocina y, al poco, se asomó a saludarle:

—Buenos días, don Julio.

—Buenos días.

—Parece que el tiempo se arregló... Después de la ventolera de ayer noche...

—Sí, ya lo he visto... Lo que es este año no podrán quejarse.

Don Julio se instaló en la cabecera de la mesa. Bajo la mirada vigilante de la mujer, untó de miel las dos mitades del panecillo. Después vació la leche en el tazón y sopló antes de beberla. Al concluir, metió la servilleta en el aro y fue al recibidor a ponerse el gabán.

El cascajo de los paseos estaba rastrillado. Don Julio torció hacia la derecha y dio una vuelta en torno al edificio. El vendaval de la víspera había acabado de desnudar las ramas de los castaños. Por levante, el sol empezaba ya a calentar, entreverado de ramas de eucalipto.

La puerta del jardín estaba cerrada con candado. Don Julio la abrió con un llavín y la ajustó de nuevo, sin cerrarla. En la calle la hojarasca se amontonaba en los rincones formando montículos de color pardo-amarillo. Los frutales de la huerta vecina habían sufrido también los efectos del vendaval: el almendro del lado de la verja tenía dos ramas tronchadas. Al llegar a la plazuela se detuvo, vacilando en la elección del itinerario. Finalmente, se adentró por la calle de San Ginés, en dirección al casco antiguo.

Pese a lo temprano de la hora se barruntaba el clima vivaz de los días de fiesta. Por las aceras se veía pasar a gente endomingada: en el arroyo circulaban docenas de bicicletas conducidas por chiquillos. El sol confería a las calles recién barridas como una fisonomía de verano: las blancas paredes enjalbegadas refulgían; las flores marchitas de los balcones se despabilaban bajo sus tibios lengüetazos y un no sé qué de impreciso, en el rostro y modales de la gente, advertían al menos informado de los curiosos que el día recién nacido no era un día ordinario.

Don Julio caminaba despacio, contestando con una amable inclinación de cabeza a las personas que le saludaban al cruzarse. Conocía aquel barrio desde niño y en él se sentía como en casa. Allí, las viejas mansiones de corte indiano conservaban la misma

fisonomía que en tiempo de sus padres, con sus mira-
dores en forma de templete, sus jardines románticos
de estilo inglés y sus patios recoletos y susurrantes.
Desde entonces, ninguna variación: como si, durante
diez lustros, el tiempo hubiera dejado de correr; como
si la vida se hubiera detenido en virtud de una fórmula mágica.

Para ir a la iglesia era temprano aún. Don Julio
decidió tomar la ruta del cementerio y hacer una
breve visita a la fábrica. Como en todo el término municipal, regía el horario de los días festivos. Sin embargo, al igual que los domingos en que hacía buen
tiempo, era agradable recorrer las dependencias una
a una, comprobar que todo seguía en orden, funcionaba...

Más allá del Museo Ochocentista, la calle desem-
bocaba en unos solares cultivados que separaban la
población propiamente dicha del barrio de La Salud,
donde vivían la mayor parte de los emigrados anda-
luces que prestaban sus servicios en la fábrica. En la
ladera de la colina dos anuncios gigantescos: *Aceites
Esso* y *Chesterfield, la marca genuinamente americana,*
se iluminaban por la noche al ser alcanzados, desde
la curva de la carretera, por los brochazos de luz de
los automóviles. Un poco más abajo se extendía un
barrio pobre, de barracas.

Don Julio atravesó los campos sin apresurarse.
También allí era reconocido por muchos hombres y
mujeres que lo saludaban de un modo furtivo, como
asustados. Don Julio tenía para todos una sonrisa
amable. A veces los detenía con un ademán y conversaba con ellos un instante.

—¿Qué?... ¿Cómo anda usted?

—Ya lo ve usted, don Julio... Tirando...

—¿Y la familia?... ¿Todos buenos?

—Sí, gracias a Dios. El pequeño con un poco de catarro...

—Vaya, hombre...

—Pero no es na... Con pastillas esas de regaliz y un poco de jarabe...

—El otro día vi al mayor. Al Paulino.

—Ese es como yo, don Julio... Nació baqueteado.

—Eso está bien. Cuando hay salud...

—Qué quiere usted... La gente sencilla como nosotros no tiene tiempo de enfermar.

—Nadie debiera tenerlo, José. Ni los pobres, ni los ricos. Ni los de arriba, ni los de abajo. Cada uno en su puesto. Aguantando.

—Que sí... Que tiene usted razón.

—Bueno, no lo entretengo más... Hasta la vista, José... Cuando vea a su mujer, déle usted recuerdos de mi parte.

—Vaya usted con Dios, don Julio... Y muchas gracias.

Bordeando las malolientes pilas de escombros, alcanzó la explanada caliza que se extendía frente a la entrada de la fábrica. El gitano leía historietas junto a la puerta y, al verle, acudió corriendo a saludarle.

—Buenos días tenga usted, don Julio.

—Buenos días, muchacho.

Heredia le miraba con devoción. Cuando niño, don Julio le había costeado la escuela.

—¿Alguna novedad?

—No, ninguna.

Había abierto la puerta de par en par y se apartaba para hacerle sitio.

—No, no voy a entrar. Venía solamente a echar un vistazo.

El gitano se apoyaba contra la verja y hundió las manos en los bolsillos.

—De paseo, entonces.

Don Julio deslizaba la mirada por el revoque cuarteado de las paredes.

—Sí, de paseo.

Sin apresurarse lio un cigarro de picadura escogida y emprendió el regreso por donde había venido. El reloj señalaba las diez menos veinte. La campana de la parroquia sonaba hacía largo rato, convocando a los fieles al rezo del Oficio.

Calle de Cuba. Calle San Pablo. Calle Santiago. Al llegar a la plaza de la Iglesia, continuó hasta la calle Mayor y entró en la floristería.

—Buenos días —dijo alargando a una muchacha una tarjeta y un billete de veinte duros—. Venía a por un ramo de flores como el de ayer... Dos docenas de rosas rojas... Antes del mediodía, si tienen la bondad. —Luego, adelantándose a la interrogación de su mirada, añadió—: En el sobre encontrará la dirección... La misma de todos los días.

* * *

—¿Has visto? —dijo mamá apuntando con el dedo a la calle Mayor—. Don Julio ha entrado en la floristería.

Vicky no se tomó el trabajo de responder y se limitó a taconear con impaciencia. El sol hacía visos en el escaparate de la tienda; formaba un espejo en el que podía verse reflejada.

—¡Qué extraño!... La mamá de Montse me dijo el otro día que cortejaba a vuestra profesora de inglés.

La cinta que ataba su «cola de caballo» estaba mal sujeta. Mechones rebeldes de pelo caían en surtidor hacia su espalda.

—Mamá.

—Qué...

—Es tarde.

—Espera. Voy un momento al colmado a encargar algo para la cena.

Su madre entró con aire decidido. Tras unos segundos de vacilación, Vicky resolvió seguir su ejemplo. Orgulloso en su traje de vaquero, Pancho optó por aguardarlas en la calle.

—Buenos días.

—Muy buenos días, señora Olano.

Su madre hablaba con una voz melosa, aniñada. Cuando iba de compras afectaba un aire dubitativo. Le gustaba que el vendedor le aconsejara. Después de agotar su paciencia, realizaba la elección con un suspiro.

—Bueno... Póngame media libra de esas...

Llena de irritación, Vicky le volvió ostensiblemente la espalda y se apostó junto a la puerta. Como siempre que iba con su madre, le parecía leer un aire de reproche en la mirada de la gente y se cruzó de brazos para hacer comprender que, aunque era hija suya, se desentendía completamente de ella.

—Mamá...

—¡Ya voy, hija, ya voy!... Sólo pagar y nos volvemos...

Fuera, Pancho encañonaba a los transeúntes con sus pistolas plateadas. Algunos levantaban los brazos, siguiendo el juego. Un señor de edad se llevó la mano al corazón, fingiéndose muerto.

—He matado a doz indioz y herido a otroz doz —explicó cuando salieron.

Sonaron las diez en el reloj del campanario. Vicky abrió la marcha, cargada con el envoltorio multicolor de las compras. El Oficio iba a empezar al cabo de

8

media hora y necesitaba más de veinte minutos para
arreglarse el pelo. Pero mamá no parecía darse cuenta
de su prisa, lo mismo que un pájaro.

Cuando llegaron a casa eran las diez y diez. Su
madre se las arregló aún para abordar a la señorita
Regina que, con un misal en la mano, venía por la
otra cera.

—Mamá —dijo Vicky, furiosa.

Apoyada en las jambas de la puerta, las observó
mientras se besaban. Después la señorita Regina debió preguntar por ella, pues las dos se volvieron a
mirarla. Decidida a mostrar su contratiempo, Vicky
fingió entrar en la casa, pero, llena de curiosidad,
se detuvo a escuchar junto a la puerta. Aunque no
alcanzaba a descifrar las palabras de la señorita Regina, percibía claramente la voz de su madre, hablando del *surprise party*.

«Sí; Sonia, la niña, telefoneó para invitarla. Su
madre me dijo, el otro día, que no sabe vivir sin
ella... Es que tiene un carácter que se hace querer...
Desde hace un año recibe clase de baile de Madame
Josette y ahora va a estudiar también piano, además
de francés e inglés... El año que viene quiero que
vaya a Inglaterra... Me han hablado de un colegio,
de un castillo antiguo, donde van los hijos de los no-
bles, con clases de golf, de equitación, de tenis...»

Un pequeño crujido a sus espaldas le advirtió que
alguien la espiaba. Plantado en medio del vestíbulo,
Pancho la encañonaba con sus revólveres de juguete:

—Fizgona... Erez una fizgona...

Ella subió al piso de arriba sin hacerle caso. La
puerta del dormitorio de Juana estaba entreabierta.
Vicky asomó prudentemente la nariz y arriesgó una
breve ojeada. Su hermana estaba acostada aún, y, al
verla, volvió despectivamente la cabeza.

—¿Qué haces? —dijo Vicky—. ¿No te levantas?

—No. Estoy cansada.

—No me extraña. Con la vida que llevas...

—La vida que llevo es asunto mío —repuso Juana—. Tú no tienes por qué entremeterte.

—¡Que te crees tú eso, rica!... Si descubren el tejemaneje que te traes con el gitano ese, me encerrarán también a mí y me quedaré sin ir a Inglaterra.

Juana se llevó a los labios el cigarrillo medio consumido que humeaba en la mesita de noche.

—Gitano... Tejemaneje... La verdad: no sé de qué me hablas...

—¡Bah, no te hagas la ingenua!... Sé muy bien que sales por las noches y a la hora que llegas. Gracias tendrías que darme por haberlo callado tanto tiempo.

—Eres un verdadero ángel —dijo Juana haciendo una mueca.

Vicky giró un par de veces sobre sus talones, pero continuó allí, como clavada.

—Ve con cuidado —dijo cruzándose de brazos—. El día menos pensado puedes llevarte una sorpresa.

—¿Debo tomarlo como una amenaza? —preguntó Juana.

—Tómalo como te dé la gana.

Se disponía a abandonar el dormitorio, pero cambió de opinión.

—¡Ah! —añadió—. Y date prisa. El Oficio empieza a las diez y media.

—No te fatigues. No pienso ir.

—El Padre dijo el domingo pasado que, en el pueblo, era fiesta de precepto.

—Me da igual.

—Está bien —dijo, exasperada, Vicky—. Haz lo que tú quieras.

La puerta del baño estaba ajustada. Dentro, Jacinta, de rodillas, secaba con una toalla a Nana.

—Anda, preciosa, ya estás bien así. Ahora te peino una miaja los rizos y quedarás hecha una reina.

Vicky comenzó a acicalarse frente al espejo. El traje azul le entonaba con los ojos, pero debía cambiar la cinta del pelo. La de moaré granate quedaría mejor. Estaba algo paliducha y se pellizcó las mejillas. A espaldas de su madre había comprado un «lápiz» rosado. Aprovechando que nadie la miraba, se dibujó tímidamente los labios.

Jacinta, entre tanto, peinaba con gran cuidado los rizos de Nana, dejando que resbalaran como tirabuzones, encima de sus orejas. La niña se contemplaba en el espejo llena de orgullo y lanzó un grito cuando la mujer dio por acabada la tarea.

—Está bien, está bien —suspiró Jacinta—. Voy a ondularte también esos...

Así lo hizo, mientras la niña, saltando fuera del baño, trepaba en el taburete de plástico para verse reflejada de cuerpo entero. Vicky dejó de peinarse y se volvió para mirar. Su piel era muy blanca y como de porcelana o celuloide. La racha de sol que entraba por la ventana arrancaba reflejos de oro de su cabello. Con su pequeña combinación azul, su hermana era como una muñeca preciosa, una muñeca dorada, azul y blanca, que, milagrosamente, agitaba su anillada cabecita, hacía cabriolas de payaso y sonreía a su maravillada doble del espejo.

Luego, mamá vino con el vestido de volantes y papá apareció abotonándose la chaqueta. Durante un largo rato contemplaron a Nana que, ocupada en vigilar a Jacinta, pareció no verles siquiera. Al fin, mamá le ayudó a ponerse el vestido, Jacinta le calzó los zapatitos y Vicky le puso la cinta del pelo.

—A ver —dijo mamá, retrocediendo—. Déjame que te vea.

Nana obedeció con una mueca. Como dispositivos mecánicos graduables a voluntad, sus grandes ojos azules parecían mirar un punto perdido más allá del firmamento.

—Estás preciosa —dictaminó mamá al fin.

Inclinándose hacia adelante le dio un sonoro beso. Papá se sentó al borde del baño y la tomó entre sus brazos. Nana les dejaba hacer, en silencio. De vez en cuando volvía la cabeza y se contemplaba de nuevo en el espejo. Jacinta la miraba con aire arrobado. Cuando papá la dejó en el suelo, quiso besarla también, pero la niña lanzó un grito terrible:

—¡Tú, no!...

Segura ya de sí misma, Nana parecía deseosa de salir, de afrontar la prueba de la calle. Sin hacer caso de las reconvenciones de mamá, de puntillas, empujó el tirador de la puerta. Vicky cargó con ella, en volandas, y la depositó al pie de la escalera. Allí, Pancho continuaba jugando con los revólveres y, al verlas, se parapetó en el sillón granate.

—¡Pum! ¡Pum! —dijo—. Muertaz.

—¿Aún estás así? —le gritó su padre desde el rellano—. Sube corriendo a cambiarte.

Pancho asomó prudentemente la cabeza y le miró como si no le comprendiera.

—¿Cambiarme? ¿Por qué cambiarme?

—Supongo que no pensarás ir así a la iglesia.

—Puez zí que penzaba ir azí —repuso Pancho—. Carlitoz también y lleva un traje de marziano.

—Lo que haga Carlitos no es asunto tuyo. Tú, sube corriendo a cambiarte.

—Pero, papá...

—No hay papá que valga.

Pancho se arrojó sobre la alfombra, boca abajo. Durante unos segundos golpeó con el puño contra el suelo. Luego, de golpe, emitió un horrendo aullido. Desde la sala, papá le ordenó que se callara. En lugar de obedecerle, el niño arreció el volumen de sus gritos. Papá le agarró por una oreja y le dio una bofetada. Pancho intentó morderle la mano. Papá le volvió a pegar. Mamá iba de un lado a otro, con un sombrero de plumas, pidiendo un poco de calma. Vicky les observaba a todos con disgusto. Inmóvil en su trajecito azul, Nana seguía la escena sin pestañear, como encantada.

Después, con la misma rapidez con que había estallado, la tormenta amainó. Pancho se limpió los churretes de la cara y subió a la habitación a cambiarse. Papá se puso el abrigo de entretiempo y Vicky le ayudó a anudar la bufanda. Mamá se empolvaba las mejillas con el «cisne» y preguntó, con su vocecita aflautada:

—¿Y Juana? ¿No va a misa?

—¡Qué va! —se apresuró a responder Vicky—. A ésa no hay quien la mueva. Le dije que era fiesta de precepto y se puso hecha una fiera.

Su padre arrugó la nariz con visible malhumor. Pero Pancho bajaba ya con el traje azul y no hubo más remedio que abrir la puerta.

—Vamos —dijo cogiendo la mano de Nana—. Si no nos damos un poco de prisa, llegaremos después del ofertorio.

* * *

Avanzó entre la doble fila de casas encaladas, herido por la cegadora luz del sol. Los fieles se dirigían a la iglesia vestidos con trajes muy lucidos. Formando pequeños corros, se detenían a charlar en las esquinas, las mujeres con mantilla, los hombres con sombrero. Algunos conocidos le daban los buenos días. Otros, se limitaban a saludarle con el brazo. Delante, detrás y en torno suyo se elevaba un rumor de domingo. Y él continuaba por el bordillo de la acera, contando, en voz baja, el número de sus pasos.

—Vamos. De prisa...

—¿Qué hora es?

—Llegaremos tarde.

Los grupos afluían a la plaza, apresurados. A medida que se acercaba a la parroquia, se hacía más fuerte el repicar de la campana. Huyendo de la bulliciosa proximidad de los niños, torció por los arriates de flores del mercado. Allí, se dio cuenta de que el manco le había tomado la delantera. La plazuela se había llenado de automóviles. Con el brazo que le quedaba dirigía teatralmente el tráfico y abría la puertecilla de los coches, frente a la escalinata de la iglesia.

Él se apostó en el interior, bajo el dintel de la pequeña puerta, en el camino obligado hacia la pila del agua bendita, justo a la izquierda del cepillo «Para las obras del templo». Grupos de personas bien trajeadas acudían sin cesar desde el atrio. Antes de entrar, las mujeres se acomodaban la mantilla y los hombres se descubrían la cabeza. Él empujaba la puertecilla y alargaba la mano. A veces, lograba decir:

—¡Caridad!...

Pero, de ordinario, después de franquear el paso, se inclinaba a saludar en silencio.

Algunos le echaban un poco de calderilla. Otros, los más, no soltaban nada. Él empujaba el tirador, abría la puertecilla e inclinaba la cabeza, como dándoles las gracias.

Una señora con un penacho de plumas le dio un duro. Otra, con un casquete de fieltro, una moneda de diez reales. Él recibía las limosnas sin pestañear. Tenaz en el desempeño de su cometido, continuaba empujando la puertecilla, tendiendo la mano, inclinando la cabeza en una muda acción de gracias.

A veces, sufría el asedio de una banda de chiquillos. Los rapaces se detenían frente a él, remedaban sus ademanes, hacían morisquetas con las manos:

—¿Quién es ése?

—Juan de Dios.

—¿Qué hace ahí parado?

—¿Qué quieres que haga? Pedir limosna.

—¿Por qué mira de ese modo?

—Fíjate: no se mueve.

—Parece que no nos entienda.

—Claro que no nos entiende. ¿No ves que es idiota?

—¿Idiota? ¿Idiota?

—¡Bah, déjale!...

—¿Eres idiota?

—Caridad.

—¿Qué dice?

—Caridad.

—Pide limosna.

—Mira qué ojos.

—Amarillos. Debe padecer del hígado.

—¿Qué es eso?

—Le vas a hacer daño.

—Anda, no los cierra.

—Pues es verdad.

—Igual que los peces.

—A lo mejor no sabe moverlos.

—Vaya broma.

Percibió, de pronto, la música del órgano. Un coro

de niños empezó a cantar con voz aflautada. Fuera, los automóviles hacían sonar impacientemente sus cláxones. Entraron dos señoras con sombrero azul: cinco reales. Un caballero con misal: nada. Él empujaba el tirador, alargaba la mano, y decía:

—¡Caridad!

Se inclinaba para dar las gracias. La música del órgano le acariciaba los oídos. Buscó con la vista a los chiquillos que cantaban. Seguía oyendo los bocinazos de los coches. En el bolsillo izquierdo guardaba la calderilla. En el derecho, los billetes y las piezas de dos, cuatro y diez reales. Un niño vestido de marinera le dio un duro. Luego, el órgano se interrumpió y los bocinazos y el coro de vocecitas aflautadas.

El atrio de la iglesia estaba desierto. El manco de los coches se había acuclillado al pie de la escalera y hacía un recuento de lo ganado, con la mano que le quedaba. Él palpó discretamente sus bolsillos. Dos más dos más cinco más cinco más una más dos...

—Jueves —dijo.

Alisó, con sumo cuidado, las solapas del abrigo. Limpió, con saliva, el orín de la medalla. Procurando no hacer ruido, se abrió paso entre los grupos que seguían la ceremonia desde una de las naves. Al fin, se acomodó junto a uno de los cepillos. A su lado, una vieja de negro leía un devocionario en voz baja.

Su mirada se posó en el oficiante y en su casulla bordada. Él prefería la verde y la amarilla. La de aquel día era blanca. Blanca, recamada en oro. Más arriba, la luz de las vidrieras era como un remolino de colores. En el coro, los niños volvían a cantar y se oían de nuevo los acordes del órgano.

—*Deus, qui humanae substantiae dignitatem mirabiliter condidisti...*

—Mamá...

—Qué...
—Mamá...
—Calla.
—Mira cómo va vestido.
—Digo que te calles.
—*Offerimus tibi, Dómine, cálicem salutaris...*
—Mamá...
—Chist.
—Me está mirando.
—Silencio.
—Tengo miedo...
—*Veni Sanctificator Omnipotens aeterne Deus...*
—Pepito...
—¿Qué quieres?
—Fíjate en ese hombre.
—Ya lo he visto.
—Tiene el abrigo roto.
—Claro. Es un pobre.
—Me está mirando.
—¿Queréis callaros de una vez?
—Es Carlitos.
—No le contestes tú...
—No me deja rezar.
—Tengo miedo.
—Ven. Cámbiate de sitio.
—*Sanctus. Sanctus. Sanctus...*

El monaguillo agitó tres veces la campanita. Los que estaban sentados en los bancos se arrodillaron. Los del coro dejaron de cantar. Algunos que seguían la misa de pie, hincaron también la rodilla. En la iglesia toda reinaba un silencio que casi era zumbido.

De pronto se percibió el clapclap de unos tacones. Varias cabezas se volvieron a mirar. La señorita Flora venía por el pasillo lateral con un vestido a cuadros, blanco y amarillo. Al llegar a su lado se detuvo y se arrodilló, sofocada. En el silencio fervoroso de la Elevación sus piernas se rozaron. Luego, al incorporarse, sonrió:

—Buenos días, Juan de Dios.

Su brazo blanco, perfumado, estaba adornado de pulseras. Como de costumbre, le alargó un duro de níquel.

—Pásese a las siete por casa —bisbiseó—. La chica le dará un poco de comida.

Él movió la cabeza para indicar que comprendía. La señorita Regina estaba sentada en los bancos de delante. La señorita Flora fue a su encuentro, componiéndose la mantilla con nerviosos ademanes.

La siguió con la vista hasta que desapareció en la fila de la señorita Regina. Entonces guardó la medalla en el bolsillo y retrocedió. En la puerta, se santiguó con agua bendita. El manco de los coches seguía en la escalera y, con su único brazo, apuntó hacia la explanada.

—¡Fuera de ahí, quitón, mangante!...

Le obedeció, las manos hundidas en los bolsillos del gabán, protegiendo la calderilla. En los jardines tropezó con dos mujeres del mercado, que se apartaron para hacerle paso.

Al llegar a la escalinata, se detuvo y contempló la azul extensión de la bahía. El mar estaba tranquilo, estriado de líneas blancas. El sol reverberaba sobre las casas enjalbegadas, de un modo molesto. Acodado en la baranda, cara al sol, aguardó, con los ojos cerrados, a que terminara la misa.

* * *

Desde el camino de cipreses que conducía a las afueras, contempló la brusca aglomeración de fieles a la salida de la iglesia. El atrio, el mirador, la plazuela, eran como un avispero gigante poblado de diminutas figurillas. Los automóviles evolucionaban al sol, como de juguete. Al poco, las niñas acogidas en el Colegio de las Madres emprendieron el regreso por la calleja lateral, como una triste procesión de hormigas.

El camino seguía el trazado irregular de la costa, sobre el acantilado de rocas grisáceas que se hundían en el mar casi a pico. Allí, entre cabo y cabo, se formaban caletas pequeñas con suelo de gravilla. En verano esas caletas sufrían el asalto de los turistas. Pero, en otoño estaban siempre desiertas. Celia bajó a la más cercana por una trocha bordeada de nopales. Abajo descubrió que, otros, le habían tomado la delantera. Dos hombres jóvenes, con chaquetas azules, fotografiaban el mar con sus máquinas. Extranjeros sin duda. Probablemente americanos de permiso.

En seguida oyó el rumor de otras voces. Entre las rocas, dos mendigos viejos improvisaban su cocina. Celia les conocía de vista, por haberles encontrado a menudo en las afueras del pueblo. Los dos vestían igual y parecían casi gemelos. Uno llevaba una gorra gris. El otro un sombrero de espantapájaros. Un mugriento mantel de hule servía de soporte a sus enseres: latas de conserva vacías, botellas de gaseosa, perolas del ejército. Cuando Celia llegó discutían, agitando furiosamente las manos:

—Te toca a ti.

—No. Te toca a ti...

Una lancha a motor atravesó velozmente la bahía. Los turistas dispararon, clik, clak, las máquinas fotográficas. Los mendigos dejaron de discutir y empezaron a preparar la comida. El más bajo de los turistas se volvió y los señaló a su compañero con el brazo.

—¿Has visto? —percibió Celia en inglés—. Parecen de Goya o de Solana...

—El más viejo, el de la izquierda... Me gustaría fotografiarlo...

—A lo mejor se molesta.

—¿Te has fijado cómo se mueve?

—Nunca he visto un pobre con tanta dignidad.

—Llevan el señorío en la sangre.

Celia se tendió entre las rocas con los ojos cerrados. El sol le templaba el rostro, el cuello, los brazos. Inútilmente quería expulsar de su memoria las palabras de Julia: «*Durante el verano se paseó con una extranjera... El peor de la banda... Yo, de usted, procuraría ni saludarlo*». Toda la noche las había repetido, mientras, incansablemente, daba vueltas y vueltas entre las sábanas: el insomnio, el terrible insomnio, cuyo origen hacía sonreír a Matilde, hasta que el sueño había acudido al fin, al filo de madrugada.

Antes de acostarse había puesto el despertador a las diez. El pretexto era muy simple: pasear. Al menos, así lo había dicho a Matilde mientras se desayunaban. Pero el itinerario de esos paseos era siempre el mismo: como si algo más fuerte que ella le obligara a salir e impusiera una determinada dirección a sus pasos.

Como los otros días, Celia había seguido el camino de la iglesia para llegar hasta el mercado. Desde allí sus pies la conducían a la bodega, donde, según Pablo, solía reunirse con los amigos; el camino de cipreses, en donde habían hablado un día; a la caleta donde iba a pescar a veces, y, finalmente, al barrio en que vivía con su madre y sus hermanos.

La búsqueda resultaba casi siempre infructuosa. En la bodega el sol reverberaba en los cristales e impedía ver a los hombres acodados en la barra; en el camino de cipreses, en la caleta tropezaba con gentes desconocidas; la puerta de su casa estaba abierta de par en par, pero, en su interior, no se veía un alma.

Pasado el campo de fútbol, Celia rehacía el itinerario en sentido inverso: el mismo interior vacío, iguales gentes desconocidas, el obstinado sol en los cristales. Y los pies que pesaban como plomo y las promesas de no volver, y la fatiga y la rabia, mientras el pulso de sus sienes percutía y el latir del corazón aceleraba.

«*No sea inocente. Si se hace el amable con usted será por algo.*» Al salir del Refugio había tomado la resolución de exigirle explicaciones, pero el absurdo de semejante idea acabó por disuadirla. Atila y ella casi no se conocían más que de vista. En una ocasión tan sólo, el muchacho había venido a su encuentro y la había acompañado hasta la puerta del colegio. Celia no tenía sobre él ningún derecho y podía hacer lo que le diera la real gana.

«*Una mujer, a tu edad, no puede vivir sola. O se casa, o acaba por cometer un disparate.*» Se acordó de pronto de su última disputa con Matilde y experimentó una invencible sensación de repugnancia. «Don Julio te ha invitado a cenar. No irás a hacerle un desplante.» La sospecha de un acuerdo a sus espaldas se acentuó: «Cualquier otra muchacha en tu caso, se sentiría halagada. No veo por qué has de poner cara de entierro.»

Era preferible, una y mil veces, rehacer día tras día el mismo itinerario, contemplar el reverbero del sol en los cristales de la bodega, tropezar con gentes desconocidas en el camino de cipreses y vagabundear insatisfecha de uno a otro extremo del barrio. La mala suerte no se iba a cebar siempre en ella. Atila debía mirarla un día. Una mirada, y vería claro. Entretanto no le quedaba otro recurso que la espera: oponerse a los proyectos de Matilde y repetir su itinerario.

Cuando abrió los ojos descubrió que no había sol. Hilachas vedijosas de nubes lo ocultaban tras un celaje aborregado. El viento había amainado y en el mar había calma. Los turistas acababan de abandonar el lugar y trepaban, por la pendiente, hacia el camino. Los mendigos, en su rincón, seguían trajinando la comida.

Celia se puso en pie y sacudió su falda. No sabía cuánto tiempo había permanecido allí: si largo rato o sólo unos instantes. El examen del reloj no le aclaró la duda: estaba parado. Miró en torno buscando una solución: los mendigos habían tenido tiempo de encender el fuego; un hombrecillo había bajado por la trocha y pescaba al volantín desde la playa.

—Diez minutos. Quizás un cuarto.

Faltaba aún, para cumplir el rito, el consabido paseo por el barrio. Haciendo acopio de sus fuerzas, Celia emprendió la marcha. Al poco, el disco del sol reapareció y aplastó su sombra contra el suelo. El camino era abrupto y la cuesta, empinada. Al llegar a la mitad se detuvo y se volvió para mirar hacia abajo. El hombrecillo del volantín cebaba los anzuelos. Los mendigos seguían trajinando. Una nube de insectos diminutos remolineaban a contraluz igual que una galaxia.

En la carretera, cerca del barrio de los pescadores, volvió a tropezar con los turistas. Se habían detenido a descansar en el banco de piedra y sufrían el bullicioso asedio de media docena de chiquillos.

—*Mesié sil vu plé*.

—Déme *mony*.

—Pesetas, míster.

Celia pasó el grupo de largo. El bloque de casas donde vivía Atila parecía, desde la carretera, carente de tercera dimensión, como una maqueta colocada para el rodaje de una película. El Ayuntamiento lo había construido veinte años atrás para alojar a los pescadores arrojados del casco antiguo del pueblo por la invasión de veraneantes. Desde entonces, su población se había cuadruplicado. Los primeros emigrantes habían logrado entrar en las casas, de realquilados. Los otros habían acampado en la colina, con sus chabolas, casuchas y barraquitas.

La gente aprovechaba la fiesta para levantarse tarde. Grupos de hombres y mujeres charlaban en mitad de la calle en animada tertulia. Celia caminaba entre ellos con la cabeza gacha, secretamente avergonzada de sí. La parte delantera de las casas estaba llena de suciedad. Un aire indócil levantaba de trecho en trecho pequeñas tolvaneras de polvo finísimo.

Cuando oyó su voz, creyó que el corazón se le partía. Atila estaba frente a su casa con dos jóvenes de su edad. El de la izquierda era rubio y tenía una gran nariz. El otro era moreno, cuadrado, y lucía un insolente bigotito. Los tres iban en mangas de camisa.

Su cuerpo vibraba como habitado por un reloj. Sus ojos se velaron tras una película salina. Al divisarla, el del bigote, chascó groseramente la lengua y emitió un largo silbido. Atila se volvió para ver y le dirigió una sonrisa.

—Buenos días.

Milagrosamente, Celia tuvo fuerzas para responder:

—Buenos días.

Mientras se alejaba (su cuerpo obedecía dócilmente la inercia de sus pasos, estaba como sin vida), oyó preguntar por ella al muchacho del bigote, pero (la suerte perversa que se cebaba en ella) no pudo oír la respuesta de Atila.

* * *

El brusco trepidar de la perforadora le despertó lleno de sobresalto. Pepe se volvió refunfuñando hacia la raya de luz que señalaba los postigos. La patrona se lo había advertido al entrar: hacían obras en el patio vecino. Con el codo apoyado en la almohada, se incorporó para espiar a su compañero. Luego tanteó en la mesita de noche y encendió dificultosamente un cigarrillo.

—Ese maldito ruido —dijo, de pronto, el mecánico—. Como siga así, nos va a hacer la pascua.

Pepe le oyó moverse en su cama hasta dar con la perilla de la luz. Durante unos segundos cerró los ojos, deslumbrado.

—¿Qué hora es? —preguntó, al fin, su amigo.

—Las doce y diez.

—¿Y a qué hora nos fuimos a la piltra?

—A las cinco… Cinco y cuarto.

El mecánico emitió un sonido extraño, mezcla de suspiro y bostezo.

—Yo creo que me pasaría un año entero durmiendo.

En la mesita de noche había una botella de coñac. Su compañero la contempló al trasluz de la bombilla. Pepe miró también, súbitamente interesado. Estaba medio vacía.

—¡Qué carajo! — dijo el mecánico—. Todavía tengo sed…

—Pues sóplate un trago y pásamela a mí.

—Ayer noche bebimos como cosacos.

9

—Peor aún: como cubas.

Su amigo sostenía la botella por el gollete y la mantuvo alzada durante medio minuto. Al acabar se enjugó la boca con el dorso de la mano.

—Está de alivio, chico.

Pepe se regaló también un buen trago. Suspiró:

—No hay nada como el coñac para acabar con la resaca.

—Anda, pásamela otra vez.

—Mientras no te lo bebas todo...

—No, hombre, no. Ya te dejaré un poquito.

Pepe se tendió de nuevo en la cama. En la esquina de la mesita de noche se consumía lentamente el cigarrillo.

—¿Y el gachó? ¿Dónde está?

—Se quedó a beber en el bar.

—Tiene agallas, el muy cabrón.

—Sí. Aguanta como una mula.

El mecánico empinó por segunda vez el codo.

—¡Eh, tú!... ¡Que lo acabas!...

—¡Que no!... Que te queda más de un dedo.

Pepe cogió la botella, pero no bebió.

—Es curioso el Utah ese —dijo su compañero—. Pa mí, que anda algo guillado.

—Está borracho y tiene ganas de divertirse.

—Me gustaría averiguar qué clase de elemento es. Vete a saber si de verdad es diplomático.

—No, no lo creo. Para mí es un rentista, un tío con chulés.

—Eso sí: de la forma que tira el dinero, el tipo anda bien forrado.

Pepe apuró el resto de la botella y la dejó sobre la mesita.

—Se está fetén después de beber.

—Sí. Pero nos hace falta algo.

—Ya sé lo que vas a decir.

—Una buena gachí al lado.

Suspiraron los dos a un tiempo. Luego, el mecánico apretó la perilla de la luz.

—¿Dormimos?

—Dormimos.

En el patio vecino, la perforadora seguía funcionando.

* * *

Después que la familia se marchó, Juana no pudo permanecer un segundo quieta. Su conversación con Vicky la había llenado de mal humor. Echándose un batín sobre los hombros se asomó a avisar a Jacinta. Rápidamente se vistió. Luego, tras dar buena cuenta del desayuno, salió fuera.

Cinco minutos más tarde estaba ante el *Refugio*. Pablo, casualmente, venía por la otra acera y, al verla, le hizo un saludo con el brazo.

—¿Dónde vas? —dijo al llegar a su lado.

—A dar una vuelta.

—Te acompaño.

Subieron por la calle Mayor, hacia la plaza. A aquella hora estaba llena de gente. Grupos de payeses, venidos de los pueblos de la comarca, se dirigían al Ayuntamiento, a la audición de sardanas.

—¿Saliste ayer noche? —preguntó, de repente, Pablo.

—No; me quedé en casa —mintió ella—. ¿Por qué?

—Por nada... Es que me pareció que Atila, en la bodega...

—Sí. Quería dar una vuelta conmigo, pero le dije que no. Estaba muy cansada.

—También yo le dije que no. Cuando te fuiste se empeñó en invitarme a unos chatos.

—Entonces, supongo que se fue a dormir. Seguramente debe entrenarse esta mañana.

—¿Vas por la tarde al partido?

—No sé. Quizá sí.

—Podríamos asomarnos un rato.

Caminaron en silencio hasta llegar a la plaza. Allí, los de la cobla, ensayaban sus instrumentos y un público impaciente se apiñaba bajo el estrado: payeses con blusa de indiana, calzón de merino, calcetines negros y alpargatas de cáñamo; gentes del pueblo en trajes de domingo; algunos turistas con cámaras fotográficas.

En el bar había una mesa libre. Se sentaron. Juana pidió una limonada. Pablo, un vermut seco. Hubo un intervalo tenso de silencio. Luego que el mozo hubo servido, Pablo se aclaró la garganta.

—Es curioso lo que me ocurre contigo —dijo.

—¿Curioso? ¿Por qué?

—Hace tiempo que tenía ganas de hablarte: días, qué sé yo, semanas.

—También yo tenía ganas, Pablo.

—Y bien —continuó él, sin hacer caso de la interrupción—, ahora que estoy contigo a solas, me quedo mudo, no acierto a decir una palabra.

Sobre la mesa había un salero con palillos. Con un movimiento brusco, comenzó a destrozarlos.

—Es como si hubiera un malentendido, algo que se hubiera roto. No sé cómo expresarme.

—Sí —dijo Juana—. Tampoco yo te hablo como antes... Es absurdo, pero tienes razón: hay algo que no marcha.

—Todos los días, al levantarme, me decía: «He de hablarle hoy; de hoy no paso...»

—Tal vez era culpa mía. Me daba cuenta y no hacía nada por ayudarte.

—No sabes cuánto me alegra oírte decir eso... Te aseguro que no podía aguantar más... Tenía la sensación, no sé..., de que nos habíamos peleado.

—Peleado, no... Era el silencio, nuestra reserva... Un algo impreciso...

—Quizá, si en lugar de dejar muertas las cosas, hubiéramos hablado el primer día con franqueza...

—Hablando se ponen las cosas en claro.

Hubo una leve pausa. Pablo vació su vaso de un trago, como para darse fuerzas. De improviso, los dos rompieron a hablar al mismo tiempo.

—¿Decías?

—No; nada.

—Anda, di.

—No. Tú primero.

En aquel momento la cobla empezó a tocar. El público se puso en movimiento. Los bailarines formaron varios anillos en el centro de la plaza.

—Hasta ayer noche —dijo Pablo, al fin— creí que me estaba volviendo loco. Parece imposible, pero no lograba comprender lo que ocurría: tu actitud, la de Atila, el empeño que poníais en escaparos...

—Atila había bebido más de la cuenta —se apresuró a decir Juana—. La escena que nos hizo fue la típica escena del borracho.

—...Me acordaba que, al principio de conoceros, siempre me llevabais con vosotros, mi compañía no os estorbaba. Y no entendía por qué, de un tiempo a esa parte, os queríais deshacer de mí.

Durante unos segundos paseó su mirada abstraída por los grupos que bailaban.

—No entendía o no quería entender, lo mismo da. Y ayer, zas, de pronto, lo vi todo claro.

—¿Viste? ¿Qué viste?

—Que os queríais los dos, Atila y tú. Y que os estaba estorbando.

—¿Lo dices por la escena que nos hizo?

—Lo digo por todo. Por lo de ayer y por todo lo pasado.

Juana hizo tabalear los dedos junto al reborde de la mesa.

—Lo siento —dijo.

Pablo guardó silencio unos instantes, como sopesando sus palabras.

—Es absurdo —dijo—. Os quiero por igual a los dos. En realidad no debiera estar celoso.

—Entonces...

—Me sentía substituido... No sé cómo decirte... Traicionado.

—¿Por quién?

—Por ti y por él. Por los dos.

—¿Y ahora?

—Ya te lo he dicho: en realidad no debiera estarlo.

—¿Me guardas rencor? —dijo Juana, al cabo de un momento.

—No. No te lo guardo.

—Sí. Y tienes razón.

—Te juro que no, mujer.

—Debí contártelo todo desde un principio. Todo. De cabo a rabo.

—Eres ridícula. Lo que hagáis Atila y tú es asunto vuestro. No tienes por qué rendir cuentas a nadie.

—A ti, sí.

—No veo la razón.

—Porque eres amigo mío.

—No es motivo.

—Y además...

—Además...

—Porque también le quieres a él, Pablo.

—¡Oh, por eso!...

Antes de mirarle de frente, Juana adivinó que se había sonrojado.

—Tú y yo somos demasiado parecidos para... En realidad, podríamos haber nacido hermanos.

—Sí. Es una excusa.

—No. Es la pura verdad. Los dos estamos como presos. Los dos queremos escaparnos...

Juana sacudió ligeramente la cabeza para imprimir mayor realce a sus palabras.

—Cuanto más pienso en ello, más me convenzo de que lo ocurrido con Atila era inevitable.

Pablo rehuia su mirada, llena de confusión.

—¿Desde cuándo? —comenzó.

—Desde hace dos meses.

—¿Y tú familia?

—No sabe nada...

Inclinándose hacia adelante, de un modo brusco, el muchacho apoyó suavemente una mano encima de la suya.

—Había llegado a un punto en que no podía aguantar más... Mamá, ya la conoces... Y papá... Y Vicky... Metidos en casa todo el día... Hablando siempre...

—¡Uff!... Se ve que no has estado en el *Refugio*... Mamá Julia con sus chismes... Papá Martín, alias «Saca-Cuartos»...

—Lo malo es que, ahora, tampoco estoy tranquila... Y, si te he de ser sincera, no sé si he salido ganando. Tengo el miedo metido en el cuerpo, Pablo... El día que el bollo se descubra...

—No se descubrirá —tranquilizó él—. Si andas con cuidado...

—No, ya lo sé. Pero lo digo por Atila. Es tan impulsivo...

—Si lo oculta a los otros como me lo ha ocultado a mí...

—Sí; pero no es eso —de nuevo levantó la cabeza, buscando la vista de Pablo—. Es que me asusta oírle hablar. Desde hace un tiempo se le ha metido en la cabeza la idea de ganar dinero...

—No veo qué tiene esto de malo.

—Nada. Pero lo quiere ganar sin trabajar —carraspeó—. No sé por qué, apostaría cualquier cosa a que se trae algo entre manos.

—¿Algo? ¿Qué quieres decir con «algo»?

—No lo sé —murmuró Juana confusa—. ¿No te ha dicho nada él?

Pablo negó con la cabeza.

—No, nada —dijo.

Los primeros acordes de la *Santa Espina* ahogaron, felizmente, el silencio incómodo que siguió a sus palabras.

* * *

Todo estaba dispuesto para la ceremonia: el comedor, la escalera, la sala de estar, el vestíbulo. Dos horas antes de la inauguración, las mujeres encargadas de la limpieza habían quitado las últimas manchas de pintura del suelo y, ahora, la cruda luz del sol que atravesaba los cristales refulgía en el embaldosado amarillento como sobre una lámina de vidrio.

Doña Carmen recorrió por enésima vez las diversas dependencias de la casa para asegurarse de que todo estaba en orden. A última hora se le había ocurrido la idea de poner gallardetes con los colores nacionales en el vano de la puerta. En lugar de flores, las mesas del comedor se adornaban también con banderitas: doña Carmen había decidido reunir los ramos enviados por don Julio en un único y gigantesco centro sobre la holgada repisa de la chimenea.

—Pilar...

—Señora...

—Póngalo un poquito más centrado.

—Sí, señora.

—Así. Que quede justo enfrente del espejo.

A su lado, las otras damas de la Junta paseaban una mirada aprobadora por el adusto tapizado de los sillones, las cortinas floreadas de las ventanas, los marcos de nogal de las acuarelas.

—Pregunte a Francisca si han enviado ya las revistas.

—Sí, señora.

—Si están, póngalas usted ahí, en el velador.

—Sí, señora.

—¡Ah! Y los libros del Padre. Allí, en el rincón...

Siguieron el pasillo. Los gallardetes lucían ya en todas las puertas. El suelo brillaba como encerado. Las guirnaldas de papel en torno a las lámparas de brazos contribuían a crear la atmósfera de fiesta.

—¡Ha quedado estupendo, hija!

—Parece imposible. De ayer a hoy. ¡Qué cambio!

—No sé cómo te las has podido arreglar.

—Ni yo misma lo sé, chica... Con tanto batiburrillo en la cabeza...

Mientras Elvira les enseñaba la moderna instalación de la cocina, doña Carmen subió por última vez al piso alto.

—¿Todo en orden, aquí?

—Sí, doña Carmen.

—¿Y el lavabo? ¿Ha dado usted brillo a los grifos?

—Ahora mismo vengo de ello, doña Carmen.

—Revise los dormitorios uno a uno. Los cubrecamas: que no se vean arrugados.

En el rellano de la escalera consultó la esfera del reloj: las once y veinticinco. El de la Parroquia debía ir adelantado.

—Pilar...

—Señora...

—Encienda ya la chimenea.

—Sí, señora.

María Luisa y Magdalena hablaban en el vestíbulo con la mujer de Utah.

—No sabe cuánto me alegra verla aquí, entre nosotras —dijo doña Carmen—. ¿Recibió usted el recado?

—Elvira pasó por casa ayer tarde.

—¿Y Utah? ¿No ha venido?

—Está en Madrid desde hace unos días.

—¿Ah, sí? —dijo irónicamente Magdalena—. No lo sabía.

—Tenía que hacer allí unas gestiones.

—Sí, claro.

Elisa se dirigió hacia el grupo de Elvira, Flora y la señora Olano. Doña Carmen hizo ademán de seguirla, pero se demoró un instante.

—¡Esta Magdalena!... —susurró—. Es verdaderamente única...

—Calla... Cuando ha dicho: «Sí, claro», creí que no iba a aguantarme.

—¡Pobrecilla Elisa!... Se ha puesto como un tomate...

—Es horrible como tiene que ir vestida.

—Fíjate cómo lleva la falda.

—Una prenda así no se la regalaba yo a la criada.

En el otro grupo, Elvira hablaba de cine con la señora Olano.

—...Anoche vi la de Montgomery Clift.

—¡Qué suerte tiene usted! Yo me moría de ganas de ir y, figúrese que nadie quiso acompañarme.

—Pues es estupenda. Él hace de sacerdote y ella...

—Si quiere, podemos ver juntas *La Túnica Sagrada*...

Doña Carmen se abrió paso entre ellas con una sonrisa y se dirigió a la puerta, a recibir a los que llegaban. A medida que se acercaba el momento de la ceremonia, la animación iba en aumento. La gente no cabía en el vestíbulo. Resultaba difícil hacerse oír. La atmósfera estaba saturada de palabras.

Doña Carmen erró al azar entre los grupos. Luego, aprovechando un momento de calma, hizo una escapadita a la sala. Allí, el fuego de la chimenea ardía alegremente. Pilar, de rodillas en el suelo, lo atizaba con un abanico, los anillos del pelo color cobre del lado del fuego, color rubio del lado de la ventana.

Una baraúnda de bocinas en la calle de Cuba anunció la inminente aparición del Delegado. Doña Carmen corrió hacia el vestíbulo, seguida de la doncella. El recibidor estaba de bote en bote. Alertados también por las bocinas, los invitados se apretujaban junto a la puerta.

Segundos más tarde el Delegado llegó, y con el Delegado, el Alcalde, don Julio, el Párroco y el Secretario, Hubo un momento de indecisión. Doña Carmen estaba bajo la marquesina de la puerta, rodeada de las damas de la Junta, y el Delegado contemplaba el exterior del edificio, defendiéndose del sol con el brazo. Haciendo un esfuerzo, doña Carmen se adelantó a estrecharle la mano. Don Julio hizo las presentaciones. En la calle, los ancianos que aguardaban al pie del estrado prorrumpieron en una estruendosa salva de vítores.

La masa de curiosos que se apiñaba en el vestíbulo se apartó para hacerles paso. Doña Carmen abrió la marcha con el corazón lleno de orgullo. En sus oídos vibraba aún el eco halagador de los gritos. Sus ojos captaban como en sueños la atenta inclinación de los invitados.

Entre el Delegado y el Padre, se sentía la estrella principal de la fiesta. Las flores, los gallardetes, las banderas, todo parecía dispuesto en honor suyo. Como si lo demás fuera un pretexto. Como si no contaran ya los ancianos.

En la sala, el fuego ardía con gran brío. Desde la puerta, el conjunto ofrecía un aspecto inmejorable.

—El salón...

—¡Magnífico! —dijo el Delegado.

—¿Lo ha decorado usted misma?

—Sí, yo misma, Padre.

—Es magnífico.

—Sí; no le falta detalle.

Lentamente, seguidos por las damas de la Junta y miembros del séquito del Delegado, recorrieron el comedor, la cocina, el comedor otra vez, la escalera, el piso alto...

—Permítame que la felicite. Todo es magnífico.

—He procurado que las habitaciones tengan la mayor luz posible.

—Sí. Es magnífico.

—Las he hecho pintar de tonos claros.

—¡Magnífico! ¡Magnífico! —dijo el Delegado.

Volvieron al salón. Elvira había hecho descorchar varias botellas y la chica hizo circular una bandeja con los vasos. La propia doña Carmen se encargó de servir.

—Señor Delegado...

—Muchas gracias.

—Padre...

—Bueno. Por un día...

—Señor Alcalde...

En el salón, la atmósfera se iba caldeando. Los invitados comenzaban a distribuirse entre las mesas. El centro de flores de la repisa aromaba el ambiente de una mezcla de rosa y jazmín. Un impreciso halo cobrizo coloreaba la adusta tapicería de los sillones y el mantel trenzado de la mesita, cuyos perfiles se silueteaban en el reflejo danzarino de las llamas. Bajo el rubio sol de los ventanales, los ladrillos del piso espejeaban.

—Permítame que la felicite una vez más — dijo el Delegado después de beber —. Ha realizado usted una verdadera obra de arte.

—Doña Carmen ha tenido siempre un gusto exquisito — manifestó el cura —. Su alfombra de flores, el día de Corpus, tiene fama de ser la mejor de Las Caldas.

—¡Todo esto está puesto con tanto gusto! — continuó el Delegado —. El fuego, las flores..., las banderas... Hasta el más mínimo detalle.

—Me consta que, durante un año, no ha vivido sino para esto — explicó el Alcalde —. Si no llega a ser por su tesón, dudo que, a estas horas, las obras estuvieran acabadas.

—¡Uy! Me van a avergonzar con tanto elogio... Si continúan, voy a marcharme...

—No se enfade, doña Carmen, porque llevo razón. Usted y la Junta lo han resuelto todo. Nosotros no hemos hecho más que ayudarles.

—Estamos tan en deuda con los ancianos —suspiró ella —. Viven tan desamparados, los pobrecillos...

—Aquí se sentirán como en su casa — dijo el alcalde.

—Cuando pienso que muchos de ellos dormían al sereno...

—No me hable, doña Carmen, no me hable. Que más de una vez no he podido dormir tranquilo.

—Ahora, al menos, tendrán donde resguardarse — dijo don Julio.

—Bien merecido lo tienen, los pobrecitos. A su edad. Después de una vida de fatigas...

Sus amigas se acercaron a hablar con el Delegado. Doña Carmen aprovechó el relevo para hacer un recorrido triunfal hasta el vestíbulo. Allí, la animación era cada vez mayor. Algunos invitados permanecían en la calle por falta de espacio.

Doña Carmen regresó lentamente al salón con la mejor de sus sonrisas. En la puerta se detuvo unos segundos a mirar: bajo las guirnaldas trenzadas de las lámparas, la habitación era como un hormiguero gigantesco.

—¿Es la primera vez que viene usted aquí? — preguntaba Elvira, cuando llegó, al señor Delegado.

—No. Estuve ya otra vez, hace tiempo...

—Lo habrá encontrado cambiado desde entonces... Con el turismo...

—Sí. Muy cambiado.

—Durante la guerra era una población tranquila, provinciana... Ahora tiene más animación, pero ya no es lo mismo.

—Seis hoteles nuevos en el último año — explicó el Alcalde.

—Yo, la verdad —dijo Magdalena— me quedo con lo de antes: sencillo, pero tranquilo.

—En pleno verano no se puede estar. En el Paseo hay más gente que en la Granvía o en las Ramblas.

—Y esos bailes con orquestas por la noche...

—Y esas playas.

—Eu turismo tiene sus pros y sus contras — puntualizó Lola.

—Sí —dijo doña Carmen—. Por un lado deja dinero. Pero, por el otro, deja muchos males.

—Lo más grave — dijo Magdalena — es que los turistas han cambiado la manera de pensar. Los jóvenes sólo sueñan en imitarles.

—Dímelo a mí — dijo Flora, con aire de misterio —. Que pronto no se podrá ir por la calle.

—Ahora a todo el mundo le ha dado por viajar. Es absurdo. En mi época sólo viajábamos unos cuantos.

—La gente ha perdido la vergüenza — continuó Flora —. Al menos, antes, se guardaban las formas.

—Yo creo — dijo el Delegado — que en todas partes ocurre igual. Con los medios modernos de transporte, todo queda, como quien dice, a cuatro pasos.

—Aquí nos llega lo mejor y lo peor. Lo mismo te encuentran con un millonario forrado de billetes, que con el peor de los indeseables.

—Mire usted — dijo Flora, sin poder contenerse ya, y roja como un tomate—. La otra tarde, en el Paseo...

Con voz atropellada empezó a contar la agresión que había sufrido. En el grupo de las autoridades hubo una pausa de estupor. Por medio de un guiño, doña Carmen hizo comprender al Delegado, que sería imprudente contrariarla.

—Verdaderamente, parece increíble — dijo éste al concluir —. ¿No tiene usted idea de quién pudo ser?

—En absoluto — balbuceó Flora sofocada—. Cuando mi amigo fue en su busca, ya se había escapado.

—Habrá que reforzar la vigilancia en esa zona — dijo diplomáticamente el Alcalde, para salvar el bache —. Me han llegado noticias, por otras fuentes, de algunos otros casos parecidos.

—La pobre Flora siempre ha tenido muy mala suerte — dijo significativamente Elvira.

—Desde hace un tiempo — recalcó doña Carmen, llena de ira—, parece como si todos los truhanes del pueblo se hubieran puesto de acuerdo para acosarla.

—Al paso que vamos, no sé dónde iremos a parar — dijo don Julio.

—Se diría que Dios nos ha dejado de la mano — concluyó el Padre.

Luego llegó el secretario con el pliego del discurso, y todos salieron a la calle.

* * *

El estrado se alzaba al final de la calle de Cuba, en el mismo lugar donde las autoridades entregaban un ramo de flores al vencedor de etapa durante la Vuelta Ciclista a España. Doña Carmen había hecho poner una bandera con los colores nacionales en el centro del gran tapiz. Detrás, otras banderas suspendidas en lo alto de los mástiles, se convulsionaban mecidas por el viento.

Los viejos aguardaban frente al estrado en correcta formación. Uno de ellos, a la izquierda de todos, actuaba, al parecer, de director. Al acercarse, Elisa lo reconoció: era el capitán Palanca, el veterano de la guerra de África. Los del Centro sostenían una pancarta con la inscripción: *Homenaje a la Vejez de las Caldas*. Los balcones de las casas lucían también colgaduras. En la acera, los curiosos se apretujaban para ver lo que pasaba.

Los invitados se acomodaban en las sillas de madera, expresamente reservadas, a la derecha del estrado. Elisa se alejó discretamente del grupo de sus amigas y se instaló en la acera, entre la gente que miraba. Desde allí veía a los ancianos de perfil, inmóviles bajo el sol leonado. Algunos llevaban banderas de papel. Otros, lucían una escarapela en la solapa. En torno de ella, el público comenzaba a impacientarse, emitía comentarios en voz baja:

—Hace más de una hora que están así...

—Con este sol... No sé como resisten...

—Quiá. Están muy baqueteados ya.

—Eso dicen... Que, cuanto más viejos, más aguantan...

Luego el Delegado apareció en la puerta del Hogar, seguido del cura y doña Carmen, y el público de la acera y los balcones aplaudió.

—Míralo. Ya viene

—¿Quién?

—El Delegado.

El capitán Palanca se atusaba nerviosamente sus blancos bigotes engominados. Como en todas las fiestas del pueblo, exhibía en el pecho el orgulloso muestrario de sus medallas. Erguido frente al estrado, sus rasgos dimanaban energía. Mientras el Delegado se acercaba, paseó sobre sus compañeros la mirada vidriosa de sus ojos.

—¡Atentos todos! — gritó con voz poderosa —: ¡Fir-mes!...

Los ancianos obedecieron con sorprendente rapidez. Tieso como un muñeco, el capitán salió al encuentro del Delegado, acompañado del boquiabierto silencio del público. Hubo un apretón de manos acogido en seguida por otra explosión de aplausos.

El capitán se inclinó y besó la mano al cura y a doña Carmen. Los aplausos se repitieron. Luego, abrazó fraternalmente al Secretario.

El Delegado subió a la tribuna seguido de sus acompañantes. El capitán se quedó en pie, en actitud de firmes. Desde allí se volvió hacia sus compañeros para ordenarles:

—¡Des-can-so!... ¡Ar!...

La obediencia instantánea por parte de los viejos, encendió de nuevo el entusiasmo. Casi al mismo tiempo, las banderas, arrugadas y como mustias hacía unos minutos, se desplegaron de nuevo contra el cielo, como asociándose instantáneamente al homenaje. El Delegado se acomodó en su sillón en medio de la tribuna. Un hombre vestido de azul le puso el micrófono delante. Mientras desdoblaba el papel que tenía en el bolsillo, pareció aguardar a que cesaran los aplausos.

Los homenajeados esperaban inmóviles, sus sarmentosas manos enlazadas. El silencio ganaba poco a poco la complicidad generosa del público. Todavía se oía algún grito, alguna voz. Después, todo quedó en suspenso, como sin vida. Y el micrófono habló, remoto, lejanísimo:

«Pocas palabras, que esto es lo que cuadra a nuestras reuniones. Pocas, pero cálidas. Cálidas, pero no oratorias...»

* * *

... «¿Quiere usted fumar?» «No, gracias.» «¿Y beber?» «Tampoco; muchas gracias.» «Entonces póngame un coñac a mí.» «Vamos, vamos, que ya ha bebido usted bastante.» «¿Bastante?» «Sí, bastante.» «Pero si sólo he tomado...» «Doce copas.» «¿Doce?» «Sí; las llevo bien contadas.» «Qué seria es usted.» «Ande, tómese usted un café. Hágame caso.» «Imposible. Me ataca los ganglios.» «Antes me dijo usted que le atacaba el hígado.» «Eso, justamente: los ganglios del hígado.» «No... Si tiene usted salida para todas...» «Es mi oficio. Soy...» «Vamos; sus compa-

ñeros están por bajar.» «¿Qué compañeros?» «Usted
no ha llegado a pie me imagino.» «No; creo que
no.» «Ha venido usted en auto.» «¡Ah, claro, en
auto!» «Y usted se ha quedado aquí a beber, mientras ellos descansaban.» «Johnny, lo había olvidado.
Y el otro...» «Ve como tengo razón. Ande, hágame
caso. Deben estar ya por bajar. Tómese un café bien
cargado...»

* * *

...El público acogió las últimas palabras del discurso con un aplauso cerrado. Elisa despertó de su
ensueño y miró aturdida en torno suyo. Los homenajeados seguían inmóviles de cara a la tribuna. Enfrente las amigas de doña Carmen felicitaban caluro-
samente al señor Delegado. Al lado de Elisa, un niño
con los dedos metidos en la boca le contemplaba fijamente con sus ojos oscuros. La madre le tiró de la
manga, pero él continuó inmóvil, como hipnotizado,
observándola.

—Mamá: se había dormido.

—Chist. Calla.

El Delegado bajó de la tribuna en medio de la
tensa expectación de los reunidos. El capitán mandó
firmes a los homenajeados. El hombre de azul vino
con una mesita al pie de la escalera. Sobre la mesita
dejó un estuche forrado de gris. El Delegado se sacó
un papel del bolsillo y lo tendió silenciosamente al
Secretario.

—Jacinto Abad.

—Presente.

El Delegado abrió el estuche gris. Dentro del estuche había una medalla. El hombre fue al encuentro
del Delegado. El Delegado le impuso la medalla en
la solapa.

—José Aranda.

—Presente.

Los ancianos se dirigían a la mesa a medida que eran llamados. Allí, como los niños estudiosos el último día de curso, recibían la condecoración. Luego, cambiaban un abrazo con el señor Delegado, mientras el Secretario seguía con la lista:

—Javier Aulés.

—Presente.

—Fidel Betanzos...

De pronto, a mitad de la ceremonia, sobrevino un incidente. En el momento en que el suegro de Elpidio, el dueño del *Refugio,* se adelantaba a recibir la medalla, se produjo gran barullo: el *Canario,* el médico borracho, pugnaba por abrirse paso entre el público, agitando amenazadoramente los brazos.

—¡Gilipolla!... Eso es lo que eres — gritaba —. Un gilipolla vestido de anciano.

Llena de sorpresa, Elisa se adelantó para ver mejor: el *Canario* tenía el traje manchado de vino y la camisa hecha pedazos; sus ojos emitían destellos de furia; su frente estaba llena de moretones, como si se hubiera golpeado.

—¿Me oyes bien? — repetía —. Un gilipolla vestido de anciano.

Vencido el primer momento de estupor, el público reaccionó lleno de furia. El *Canario* recibió una lluvia de golpes. Pataleando aún, como un energúmeno, fue, finalmente, sacado a rastras.

... Sin hacer ningún caso de la interrupción, el Delegado continuó imponiendo las medallas.

* * *

Cuando Celia regresó a comer al piso, un ramo de
gladiolos y nardos la aguardaba en el tocador de su
cuarto. Envuelto en celofán, como el de la víspera,
no tuvo necesidad de abrir el sobre para adivinar su
procedencia. Aunque Celia había golpeado fuerte al
entrar, ni Santiago ni Matilde se habían dado por
enterados. Tras haber deado el ramo en su cuarto,
aplazaban sin duda el interrogatorio para el momento
en que se sentaran en la mesa. Entretanto, Matilde
prefería trajinar en la cocina con la chica, mientras
Santiago fingía leer el periódico en el sillón del despacho.

Celia dejó el abrigo en el respaldo de la silla y
se detuvo a contemplarse en el espejo: contrastando
con sus ojos oscuros, como encendidos por la fiebre,
sus mejillas le parecieron blancas, casi demacradas.
La tarjeta de don Julio reclamaba su atención en una
esquina. Celia alargó bruscamente el brazo e hizo ademán de romperla. Luego, cambiando de idea, la sacó
del sobre, y se tumbó a leerla encima de la cama.

«*En testimonio de inalterable afecto* — decía —,
su amigo que sabe aguardar: Julio Álvarez.»

Celia dejó la tarjeta en la mesita y entornó perezosamente los párpados. Medio en sueños, percibió el
tintineo de los cacharros en la cocina, los pasos incon-
fundibles de Matilde, los suspiros ruidosos de la criada; los niños jugaban al escondite en el pasillo y se
oía, en sordina, la sintonía de la radio.

Cuando volvió en sí, Matilde había entrado en la
habitación, la radio retransmitía a voz en grito el
boletín informativo, y la luz que se colaba por la per-
siana cebreaba la alfombra de amarillo.

—¿Qué te pasa? — dijo Matilde —. ¿Te encuentras mal?

—¿Mal? — repuso ella —. ¿Por qué he de encon-
trarme mal?

—Como estabas tendida en la cama con los ojos
cerrados, creí...

—Acabo de dar una vuelta y estoy algo cansada.

Las preguntas intencionadas de su hermana tenían la virtud de ponerla frenética. Celia se incorporó,
como dando por acabada la charla, pero Matilde continuó inmóvil en el umbral, contemplándola.

—Duermes poco — dijo al fin —. Hoy que hubieses podido descansar... No entiendo por qué te has
levantado tan pronto.

—No tenía sueño. Ayer se me acabaron las pastillas.

—Dale con las pastillas — exclamó Matilde —.
¿Cuántas veces debo decirte que sólo te hacen daño?

—La señora Rovira las toma y duerme muy tranquila...

—Sí. Pero la señora Rovira tiene sesenta años.

—No veo que tiene que ver eso con lo que digo.

—Pues yo sí... Es absurdo que una chica de tu
edad necesite tomar píldoras antes de acostarse.

Su terquedad: en la vida había visto nada igual.
Casi a pesar suyo, Celia dijo:

—Si no puedo dormir, yo no tengo la culpa.

Pero, inmediatamente, se dio cuenta de su error.
Los ojos de Matilde brillaron.

—Te equivocas — dijo —. Si en lugar de llevar la
vida que ahora llevas te centrases un poco, todo cambiaría en seguida.

—¿Cambiaría? — preguntó ella con voz ronca —.
¿De qué manera?

—Mírame a mí. Desde que me casé con Santiago

veo las cosas de distinto color. Soy otra. Una mujer nueva.

—Por favor — dijo Celia, desabrochándose la blusa —. Voy a cambiarme.

Matilde giró sobre sus tacones con visible contrariedad. Mientras se desvestía, Celia le oyó decir:

—Date prisa. La comida está servida.

Cuando al cabo de un rato, entró en el comedor, Santiago y Matilde la aguardaban en el sofá, de cara a la ventana.

Celia ocupó su lugar a la cabecera de la mesa. Su cuñado bisbiseó la oración. Luego, Matilde agitó la campanilla para avisar a la criada.

—Eulogia...

Empezaron a comer. Como de costumbre, había puré de garbanzos. El puré, la longaniza y el lomo, eran los platos predilectos de Santiago. Y aunque Matilde los hacía preparar todos los días, su marido no tenía trazas de cansarse. Corrientemente, repetía más de una vez. Matilde comía de prisa y vigilaba con la mirada. Cuando el plato estaba vacío, tac, tac, lo llenaba.

—¡Ten vidita! — le decía —. Más garbanzos.

Santiago se dejaba cuidar. Masticaba despacio y raramente decía palabra. Cuando quería beber, se limitaba a alargar el vaso. Matilde se lo llenaba en seguida de agua. De hecho, parecía haber nacido para eso: para llenarle el vaso. Y él se lo llevaba a los labios con un gruñido sordo: su forma habitual de dar las gracias.

—¡Vidita! — decía ella —. Dame tu plato.

Pero, aquella vez, el agobio era peor aún que de ordinario. La sombra de don Julio parecía flotar sobre sus cabezas. Santiago y Matilde se habían puesto de acuerdo en callar, y su silencio estaba como poblado de amenazas. Los niños habían dejado de gritar, la radio enmudeció y sólo se percibía el tintineo de los cubiertos sobre los platos.

Celia paseó la mirada en torno, alucinada. Los ojos de Matilde y Santiago se cruzaron un momento con los suyos y, de golpe, la opresión que la atenazaba desde hacía unos minutos, se concretó en un breve y estremecido ramalazo de pánico: incapaz de dominar sus movimientos, empujó la silla hacia atrás y dejó caer el tenedor en el vaso.

—¿Puede saberse que os pasa? — balbuceó.

—¿Nos pasa?

La expresión desencajada de Matilde acentuó todavía su miedo.

—Sí... ¿Por qué me miráis así? — gritó —. ¿Por qué?

—Cálmate, Celia — articuló Santiago al fin —. Estás muy excitada.

Pero ella no le hizo ningún caso.

—Sí; he recibido un nuevo ramo — continuó —. ¿Es eso lo que querías decirme?

—Celia, por favor...

—Pues oídme bien: ni aunque me envíe uno cada minuto me casaré con él. Estoy harta — sollozó —, harta, harta...

—Celia...

Sus pasos resonaban sobre hueco, como sobre una bóveda craneana. Luego, las puertas empezaron a batir ruidosamente, como sacudidas por un soplo huracanado. Harta, harta...

—¡Harta!...

Cuando se dio cuenta bajaba por la calle San Pablo en dirección al Paseo. Llevaba el traje de estar por casa, lleno de arrugas. Los ojos le escocían. Los oídos le punzaban.

—¡Me iré con él!... ¡Nunca más volveré a Las Caldas!...

Y el mar escarolado de crestas blancas, y las barcas de pesca desarmadas en la arena, y los pinos del Paseo sacudidos por el viento, y el lejano chiringuito con las paredes encaladas.

Caminó por la orilla, el rostro vuelto a la brisa, sorteando los grupos de rapaces que jugaban en la arena, pisando con furia sus castillos encantados. Poco a poco, a medida que se alejaba del casco antiguo del pueblo, sus pasos perdían velocidad. Continuó todavía un buen trecho, como empujada por la inercia y, al llegar al Gran Hotel, se acomodó junto a una barca.

Durante unos minutos permaneció inmóvil, esperando a que su respiración se normalizara. El sol espejeaba sobre el mar encrespado de la bahía y las gaviotas rasaban la arena con el ligero abanico de las alas.

Con una decisión súbita, Celia sacó de su falda una pluma y un trozo de papel y empezó a escribir *Querido Atila,* apoyada en el reborde chapado de la barca.

* * *

—Me gustaría que fuesen ya las cinco —dijo Luz Divina por vigésima vez —. No entiendo como el tiempo puede pasar tan despacio.

Estaba sentada en el suelo, sobre un edredón, con la vista fija en las desnudas paredes de la galería, donde, por la tarde, debía recibir a los invitados. A su lado, Nenuca hacía palotes en el suelo con un trocito de carbón. Nenuca tenía solamente ocho años y para colmo se ensuciaba en la cama, pero, cuando Luz Divina estaba sola y necesitaba exponer sus proyectos, era la única persona en el mundo dispuesta a escucharla.

—Quisiera que la fiesta hubiese empezado ya y toda la casa estuviera llena de amigos: amigos, óyeme bien, no chiquillos de esos como Tano, que no hacen más que estorbar y son unos mal educados.

La última vez que Montse recibió a sus amistades, Tano y dos compañeros suyos habían irrumpido en el jardín sin que nadie los invitara y empezaron a beber ponche y a devorar los dulces hasta quedar hartos, momento en que la emprendieron a mamporros con la hermana de Montse y arañaron a Pancho en la cara.

—Mamá ha comprado diez kilos de harina para hacer pastas y preparará lo menos cien tazas de chocolate. O doscientas: tantas como quieran los invitados.

Antes de que se fuese de compras, Luz Divina había expresado sus temores a su madre: «Van a venir todas mis amigas — le dijo —. Por mucho que prepares, creo que no tendremos bastante».

—Ayer noche — continuó — invité a más de veinte, y aún me quedan muchos por avisar. Muchos. Todos chicos y chicas de doce a dieciséis años.

A última hora se le había ocurrido la idea de fijar una edad mínima tope, para prevenir cualquier desastre. Los chiquillos menores que ella, incluyendo a Nenuca, carecían absolutamente de interés. En cambio, una fiesta con chicas del género de Vicky facilitaría su acceso al grupo de las mayores.

—¿Y las sillas? — preguntó Nenuca al cabo de un momento—. ¿Dónde quieres sentar a los invitados?

Luz Divina consideró con aprensión las desnudas habitaciones del piso:

—Mamá me dejará la alfombra de su cuarto y nos sentaremos en el suelo.

—¿Una alfombra? — dijo Nenuca, escéptica.

—Sí. No está muy nueva, pero es igual. Además — añadió con una sonrisa de suficiencia —, tampoco creo que la necesitemos.

—¿Por qué? — preguntó Nenuca —. ¿No vais a sentaros?

—Me parece que, en cuanto empiece la fiesta, tendremos otras cosas en que ocuparnos.

—¿Cosas? ¿Qué cosas?

—Mi fiesta no va a ser una fiesta como las otras. Sólo he invitado a gente escogida. Al entrar, mamá dará una tarjeta. Y todos los que no tengan tarjeta se quedarán en la calle.

Durante unos segundos, Luz Divina contempló los restos chamuscados de las sillas que, antes de irse, Utah había arrojado al fuego.

—Al llegar, se darán cuenta de que mi fiesta es distinta y, entonces, todo lo encontrarán cambiado.

—¿Cambiado? ¿De qué forma?

—Comprenderán que es una fiesta dada en su honor y vendrán a darme las gracias. Mamá me regaló el día de mi cumpleaños un álbum de piel y se lo daré para que lo firmen. Y todos firmarán porque sabrán que soy una chica mayor, y me dejarán entrar en el grupo de las «grandes».

—Estoy segura de que Vicky no vendrá — dijo Nenuca.

—Hace tanto tiempo que soñaba con esta ocasión — continuó Luz Divina — que casi me parece imposible que sea esta misma tarde —. De nuevo levantó la mirada hacia el reloj —: Dentro de tres horas empezarán a llegar los invitados.

—Estoy segura de que Vicky no vendrá.

—Luego, la próxima vez, daré un baile. Papá ha ido a Madrid a buscar dinero y al volver me comprará un vestido. Montse me dejará la gramola y los discos y bailaremos hasta las doce de la noche.

—No me lo creo — dijo Nenuca, mordisqueando un trozo de carbón —. No me creo una coma de todo lo que cuentas.

—¿Sabes lo que te digo? — exclamó Luz Divina, llena de irritación—: que eres más tonta aún de lo que yo imaginaba —. Sonrió de un modo despectivo—. Espera a esta tarde y verás. Aunque no tengas tarjeta, te dejaré mirar por encima de la tapia.

—No me lo creo.

—Pues aguarda tres horas para convencerte —. Luz Divina ahogó un bostezo y se puso de pie—. ¡Ah, y ahora, haz el favor de largarte! Son casi las tres y media y tengo un montón de trabajo.

En lugar de obedecerla, Nenuca continuó dibujando palotes con el carbón mojado de saliva. A veces, sus ojillos azules sabían brillar con un dejo de burla. Con sus larguísimas trenzas rubias, parecía menor de lo que era. Como de costumbre, iba astrada y sucia. Sus labios estaban negros y sus mejillas tiznadas.

—No me lo creo... — repitió todavía en voz baja.

Luz Divina le sacó la lengua y se dirigió a la cocina. Todo estaba aún por hacer: la vajilla, sucia; el fuego, apagado.

—Cuando papá vuelva — gritó a Nenuca — vamos a hacer reformas. Pintaremos toda la casa.

Lo primero, cambiaría la puerta de su habitación: se haría poner una como la del cuarto de Vicky, con sus iniciales, L. D., en letras doradas. Luego, una cama grande, con edredón de flecos, un armario de luna, una mesita con teléfono y una mullida alfombra blanca.

Mientras frotaba los platos con el cepillo, oyó el toque de la puerta: su madre se presentó al cabo de poco con el cesto de la compra.

—¿Has comprado cacao? — preguntó Luz Divina.

Su madre dejó el cesto en el suelo e hizo un movimiento afirmativo con la cabeza.

—¿Y la harina?

—Dos kilos...

—¡Mamá! — exclamó Luz Divina —, ya te he dicho que con dos kilos no habrá bastante.

—No tenía más dinero, vida — dijo su madre —. Como es harina de marca la venden muy cara.

—¡He pensado tanto en la fiesta — continuó la niña — que me parece imposible que ahora, esta misma tarde...!

—Busca el rodillo de amasar y llena el cuenco de agua.

—Estoy segura de que, a partir de hoy, todo va a cambiar. Para ti, para mí y para papá. La gitana me dijo el otro día que haríamos un viaje. ¡Quién sabe si estas Navidades estaremos en casa!...

—Los moldes están en la alacena. A medida que amase la pasta puedes irlos llenando.

—Sólo he invitado a las chicas de más de doce años. Estoy harta de andar siempre con niñas más pequeñas que yo. A partir de ahora seré mayor. Iré con el grupo de las «grandes».

—Coge el pote pequeño de aluminio y llénalo de agua hasta la mitad. Vigila que no te caiga.

Luz Divina se aplicó a su trabajo con la vista perdida en el pedazo de jardín oculto por las espesas ramas del naranjo. Nenuca asomó por la puerta entornada su rostro lleno de tizne. Su madre se puso el delantal verde y se enjabonó cuidadosamente las manos.

—Luz Divina dice que van a preparar doscientas tazas de chocolate — acusó Nenuca.

La niña le dirigió una mirada iracunda. Su madre espolvoreó sus manos de harida y empezó a amasar la pasta.

—¿Verdad que papá ha ido a Madrid a buscar dinero?

—Sí, nenita.

—¿Lo ves? — exclamó Luz Divina —. Nenuca decía que yo me lo inventaba.

—No sé por qué me huelo que va a venir esta noche. Si no, no hubiera mandado esos telegramas.

—El expreso pasa a las nueve menos diez — dijo Luz Divina. La idea de que su padre apareciese a mitad de la fiesta le causaba un efecto extraño—. Si llega, llegará a las nueve y cinco. Ni después ni antes...

—Por si acaso iré a la estación a esperarle.

Hubo un momento de silencio, roto por Nenuca:

—Papá, cuando está fuera, escribe diciéndonos la hora que llega.

—El mío — dijo Luz Divina, con orgullo — prefiere darnos una sorpresa. Nos telegrafía, pero no lo dice...

—Entonces, ¿por qué os telegrafía?

—Mira, lee — dijo Luz Divina, alargándole el telegrama.

—*Peligroso asesino avanza hacia Las Caldas. Abrazos.* — UTHA.

—¿Y el otro?

—*El criminal se acerca. Prevenid a las madres.*

—¿Lo ves? — exclamó Luz Divina,

—No entiendo que quiere decir.

—Tú no entiendes nada.

Sin poder dominar su impaciencia cogió el cesto de la compra y empezó a poner los paquetes encima de la mesa. No había acabado aún, cuando sonó, ruidoso, el timbre de la calle.

—¿Quién puede ser? — dijo su madre.

—No lo sé.

—Espera. Voy yo.

Nenuca se sentó en el taburete de cuerda y se humedeció las rodillas con saliva.

—No me creo nada — canturreó bajito —. No me creo nada...

Luz Divina husmeó los paquetes uno a uno, decidida firmemente a ignorarla. De nuevo se oyó el taque de la puerta, seguido del ruido de unos pasos.

—Mira — dijo mamá al entrar —. Otros dos telegramas.

Luz Divina se secó las manos con el trapo y cogió los misteriosos papeles rectangulares: *«La banda siembra el terror a su paso»*, decía uno. Y el otro: *«Llego veloz. Que no os pase nada».*

—Déjamelos, déjamelos — gritó Nenuca, al ver que los guardaba en el bolsillo de su blusa —. Quiero verlos...

—¿Ah, sí? — dijo Luz Divina con crueldad —. Pues te quedas con las ganas.

* * *

Acabaron de comer a las tres. Conforme esperaba, la mujer del bar no tenía cambio para su inexistente billete de mil, y Utah consiguió que el taxista le adelantase la cantidad necesaria. Con el sobrante compró cigarrillos y coñac. El bar estaba en la misma carretera de Cataluña, pero tuvieron que desviarse de la ruta hasta la oficina de Correos para poner un telegrama.

—¿Para quién es, jefe? ¿Para don Julio?

—No — dijo Utah —. Es para el Alcalde.

—¿El Alcalde?

—Es un tipo dudoso. No juega claro.

—¿Lo ha incluido usted en la lista?

—Ahora voy a comunicárselo.

Utah subió la escalera corriendo y empujó la puerta vidriera. Dentro no había un alma. Sólo una señorita cuarentona dormitaba detrás de la ventanilla. Al oírle, se despertó sobresaltada.

—¿Tiene la bondad de darme un impreso? — dijo Utah—. Es para enviar un telegrama.

La señorita le tendió una hoja. Utah se sacó la pluma del bolsillo y escribió el nombre de Elisa. Al acabar, la devolvió. Tras unos segundos de reflexión pidió otra.

—Esta es para don Julio — dijo.

Al inclinarse de nuevo sobre el pupitre, eructó. Compungido, se llevó la mano a la boca. Tras la ventanilla, la señorita le observaba con evidentes señales de alarma.

—Don Julio es un viejo amigo mío — explicó Utah—. Siempre que viajo, le telegrafío. Ahora voy a cargármelo.

La mujer se esforzó en sonreír; su virginal rostro amarillo asumió la apariencia de una máscara.

—¿Cuánto le debo? — dijo Utah al fin.

—Veinte con cincuenta.

—Tenga usted.

Ella revolvió en el cajón.

—Ahí va el cambio.

—No. Es para usted.

—¿Para mí?

—Sí. Por su linda cara.

Fuera, Johnny y el mecánico hacían los honores al coñac.

—¿Qué, jefe, le telegrafió usted ya?

—Sí — dijo Utah, entrando en el taxi —. Está avisado.

—Pues que no le pase nada, jefe.

—Eso, eso — aplaudió, borracho, el mecánico —. Que no le pase nada.

* * *

Pablo se abrió paso entre los grupos de chiquillos que rodeaban el carrito del vendedor de mantecados. A medida que se acercaba a los vestuarios, la aglomeración de curiosos aumentaba. En las gradas, cara al sol, el público manifestaba su impaciencia con palmas y silbidos. Pablo miró repetidas veces a su alrededor, pero no pudo localizar a Juana.

En la puerta de las casetas, Tarrasa y el portero aguardaban que sus compañeros acabaran de cambiarse. Pablo era conocido allí como *manager* de Atila y tenía acceso libre al interior de los vestuarios. Antes y después de cada encuentro le ayudaba a desvestirse, le anudaba el cordón de las botas, le friccionaba las piernas y los brazos; pero, aunque sólo faltaban quince minutos para el partido, su amigo no había llegado aún. Pablo dejó la bolsa en las duchas y volvió a salir al campo. Fuera, Tarrasa y el portero se divertían a costa de Juan de Dios.

—Ven, acércate — decía Ernesto.

—Di *jueves.*

El tonto mostraba su doble hilera de dientes, pero se limitaba a tender la mano:

—Tabaco.

Tarrasa le golpeó con una varilla.

—Eres un gorrero: sólo piensas en fumar de balde.

—Vamos: di *jueves.*

Pero Juan de Dios alargó de nuevo el brazo.

—Tabaco —dijo—. Tabaco.

—¿Conocéis la historia del *jueves?* —preguntó Tarrasa.

Pablo hizo un signo negativo con la cabeza. Algunos curiosos se acercaron a escuchar. El bello rostro de Juan de Dios sonreía inmutable.

—Hace unos años, unos tipos de Barcelona se entretenían en llevarlo a... bueno... un día por semana: los jueves. Desde entonces, cada vez que quiere andar por ahí, a lo loco, se pone a pregonar en las esquinas: «Hoy es jueves», lo mismo que un vendedor de veinte iguales.

En el coro de oyentes hubo una risotada.

—¿Con que te gusta ir de bureo, eh, bribón?

—¿Y el vino? ¿También te gusta el trago?

—Desde que un día le hice pescar una juma —dijo Tarrasa—, no quiere ni probarlo.

—Mira. Allí hay un porrón.

—Ven. Dámelo.

Tarrasa acercó el porrón al rostro de Juan de Dios.

Su sonrisa se congeló de un modo instantáneo:

—Ten. Bebe.

Los ojos del idiota despidieron un fulgor extraño.

—No, no —dijo.

Tarrasa le roció la cara con el porrón. Juan de Dios emitió un leve gemido. Los espectadores manifestaron un regocijo riendo:

—Anda, bebe.

—Di *jueves.*

—Emborráchate.

Bajo su insolente bigotillo negro, los abultados labios de Tarrasa sonreían:

—Le di una botella de alcohol de noventa rebajada con coñac. El tipo se la bebió de un tirón. Según me contaron después, se pasó la noche aullando.

—Hiciste bien —aprobó Ernesto—. Eso le enseñará a tener más caletre. A no fiarse ni de su propio padre.

Rodeado de un anillo de mirones, Juan de Dios observaba el porrón, temblando.

—Bueno —dijo Tarrasa, dando por acabado el número—. Por esta vez te perdono. Anda, lárgate a amolar a otro sitio.

El tonto pareció comprender y se alejó gimoteando. Alguien llamó a Tarrasa desde la cabina de las duchas. Ernesto se enjuagó la boca con vino, lo espurreó y fue al encuentro de Pablo.

—¿Y Atila?

—No sé. Aún no lo he visto.

—¿No sabes dónde está?

—Ni idea.

—Qué extraño.

Faltaban cinco minutos para empezar. Algunos jugadores de la selección acababan de salir al terreno de juego y los chiquillos que correteaban por el campo los recibieron con aplausos. El público se acomodaba poco a poco en las gradas. Frente a los vestuarios, los vendedores ambulantes pregonaban su mercancía a gritos. Pablo miró hacia el camino del pueblo, pero no pudo ver a Juana.

—Voy a preguntar a Tarrasa —dijo Ernesto—. Quizá sepa algo.

—Te acompaño.

—Esta mañana ha ido con él al campo.

En la puerta tropezaron con el entrenador.

—¿Has visto a Atila?

—Sí. Está aquí.

—¿Cuándo ha llegado?

—No sé. Hace unos minutos.

Pablo entró en los vestuarios. Atila vestía ya el calzón blanco y la camisa amarilla. Al verle, le tendió las botas sin decir palabra. Pablo se arrodilló y le ayudó a ponérselas. Dolorosamente, evitó mirarle a la cara.

—¿Qué te pasa? —le espetó Atila, de pronto.

—¿A mí? —a pesar suyo, Pablo se sintió enrojecer—. Nada; no me pasa nada.

—Estás temblando.

Pablo anudó cuidadosamente las cintas, pero no le contestó.

—¿No tendrás miedo, verdad?

—No.

—Si te arrepientes, siempre estás a tiempo de largarte.

—No.

—Total: por lo que has de hacer... Puedo arreglármelas yo solo.

Pablo se pasó la mano por la frente. Sudaba.

—Iré contigo.

Cuando Atila le hablaba de aquel modo, su indecisión se deslíea. La voz de su amigo obraba como un catalizador; bajo su efecto, Pablo se sentía capaz de las mayores audacias.

—Creo que Juana se está oliendo algo —dijo al fin.

La mano que Atila había abandonado en su hombro, se crispó; por un momento, Pablo creyó que iba a estrangularle.

—¿Cómo lo sabes?

—Por ella. La he visto esta mañana y...

—¿Qué te ha dicho?

—En concreto, nada. Pero me ha preguntado por ti.

—Supongo que...

—Descuida. No le he dicho palabra.

—Entonces, ¿por qué...?

—Quería que tú lo supieras.

—Lo sabía ya — dijo Atila — y, ¡qué carajo!, no tiene ninguna importancia.

Se incorporó, dando por acabado el diálogo. Pero Pablo añadió aún:

—No tengo miedo.

—Eso espero.

—Iré donde tú vayas.

Habían abandonado la caseta y salieron al campo. Los jugadores del Club Deportivo Las Caldas formaban corro en torno al entrenador. Sólo Tarrasa y un extremo se mantenían de lado. Al acercarse a ellos, Pablo vio a Celia con una de las niñas de la escuela. Tarrasa la miraba también y le hacía señales con la mano.

—¡Eh, tú! — dijo a Atila —. Fíjate quien anda ahí: la gachí que te saludó esta mañana.

—Sí, es la misma — confirmó el extremo —. Seguro que ha venido a admirarte.

Tarrasa hizo chascar la lengua. Sus diminutos ojos negros destellaban.

—Está, vamos... Está como para...

—Anda, ve... Te llama.

Celia había iniciado una torpe maniobra aproximativa, pero, a medio camino, cambió de opinión. Durante unos segundos permaneció inmóvil, el pelo ondeado por el viento y el rostro dulcemente arrebolado. A su lado, la niña les observaba con muda hostilidad. Al fin, con un amago de sonrisa, se adelantó al encuentro de Pablo y le entregó un trozo de papel cuidadosamente doblado.

—Es para Atila, tu amigo — balbuceó —. Haz el favor de dárselo.

Pablo lo cogió, maquinalmente. Antes de que tuviese tiempo de reaccionar, Celia le volvió la espalda y echó a correr, de la mano de la niña, hacia el otro lado del campo. Al volver, Pablo sufrió el asalto de sus amigos.

—¿Qué te ha dicho?

—Nada. Me ha dado este papel.

—¿Para quién?

—Para Atila.

—¿Lo ves? —exclamó el extremo—. La tienes a tus plantas.

Atila leía el papel en silencio. Al cabo de un momento lo dobló y se lo pasó a Tarrasa.

Éste lo leyó con ojos brillantes. Al acabar se atusó nerviosamente el bigote.

—¡Caray!... ¡Vaya suerte!... ¡Quién pudiera ir a la cita!...

—Ve. Para eso te lo he dado.

Tarrasa le consideró, lleno de asombro.

—No revientes.

—Yo no puedo ir. Si tú no quieres, se lo daré a Ernesto.

—No, no, aguarda...

Su rostro brutal de niño-hombre estaba como iluminado.

—¿Dónde dices que es?

—Lee el papel. Está bien claro.

Por sus ojillos negros atravesó un relámpago de desconfianza.

—Pero ella te espera a ti.

—¿Y qué? — Atila rió con despego—. Como será de noche no se dará cuenta de nada.

—¿Y si se enfada?

—Que se enfade. Tú ya habrás pasado un buen rato.

Tarrasa paseó en torno una mirada vacilante, como temiendo ser víctima de un fraude.

—Si tienes miedo... —dijo irónicamente Atila.

—¿Miedo, yo?

—Tanto suspirar por ella y ahora que la tienes, como quien dice, entre manos.

—Siempre lo he dicho —coreó Ernesto—. Mucho ruido, mucho ruido, y a la hora de la verdad...

—Idos a la m...

En aquel momento el entrenador les hizo una señal. Tarrasa guardó el papelito en el bolsillo del pantalón y se encaminó con Atila y el extremo hacia el centro del campo. Pablo se disponía a seguirles, pero localizó, de pronto, a Juana; estaba con Pancho, en un extremo del graderío, y abandonó a sus compañeros, sin decir una palabra.

—Te buscaba —explicó, a guisa de saludo.

—Siéntate aquí. Te he guardado sitio.

Estaba más pálida y hermosa que nunca. A su lado, Pancho, con traje de vaquero, mosdisqueaba una manzana embadurnada de confitura:

—Zi ganan loz de fuera, Carlitoz y yo bajaremoz al campo y loz mataremoz con nuestraz piztolaz.

Los gritos de los espectadores le impidieron continuar. Los dos equipos se alineaban ya en el campo. De repente, Pablo sintió en su antebrazo el suave contacto de una mano.

—Tengo miedo, Pablo.

—¿Miedo? —el corazón le batió súbitamente—. ¿De qué?

—No lo sé... Es absurdo... De ti, de mí, de él, de todos... Sólo sé que tengo miedo.

Hubo una breve pausa. Como para cortarla, el pitido del árbitro señaló el comienzo del encuentro.

* * *

Le soltaron, al fin, en la calle de Cuba, frente a los jardines del Museo Romántico. Al caer, fue a darse contra el bordillo de la acera, a un metro escaso de una sucia abertura de desagüe y, durante cerca de un cuarto de hora permaneció inmóvil, contemplando la herida del antebrazo, por donde brotaba aún la sangre. Maquinalmente tanteó con el brazo sano el bolsillo donde guardaba la botella, pero no la encontró. Lleno de ira, se volvió a escudriñar el sitio por el que habían huido sus enemigos: aprovechándose de la confusión, alguien debía habérsela quitado. Luego, haciendo un esfuerzo, se puso de pie.

El desfile incesante de público por las calles le produjo mareo: a veces, los transeúntes parecían abrirse camino como a través de una atmósfera de cloroformo; otras, se convulsionaban con rapidez febril, como en una película antigua. En su cabeza, las imágenes se sucedían a un ritmo acelerado. La calle se empinaba, descendía, se empinaba de nuevo. De vez en cuando, la gente acudía a su encuentro, se interesaba por sus heridas, se brindaba a acompañarle. Pero el *Canario* respondía a gritos que se encontraba perfectamente bien, que le dejasen de una vez en paz, que prefería llegar a casa arrastrándose. Intentó entrar en dos bares y fue expulsado. Andaba sucio, roto; no tenía dinero. Al fin, sin saber cómo, se encontró frente al portal de su casa. Alguien, seguramente Pilar, había echado el cerrojo. Lleno de cólera, el *Canario* empuñó furiosamente la aldaba.

—¡Ya va, ya va!... —dijo, desde dentro, la voz de Remedios.

Luego la puerta se abrió de par en par, y la casa se inundó de lloros y ayes.

—¡Papá!...

—¡Oh, Dios mío!...

—¡Papá!...

—¿Qué te ha pasado?

Pálidas, temblando, las hijas acudieron a su encuentro con enloquecidos ademanes, el rostro descompuesto por las lágrimas.

—¡Estás herido!

—¡Oh, mírale el brazo!

—Ven, ayúdame. Lo llevaremos a mi cuarto.

Él se dejó conducir a regañadientes hasta el sillón de cuero, mientras las mujeres se afanaban en torno suyo, mascullando oraciones en voz baja.

—...hágase tu voluntad así en la...

—Callaos —les gritó—. Me estáis poniendo nervioso con vuestros susurros.

Le obedecieron, solícitas y asustadas y se aplicaron a la tarea de desvestir las diferentes partes del cuerpo que se habían lastimado.

—Trae el alcohol.

—Pronto. La botella de desinfectante.

—Cógele el brazo, tú. Yo le pondré el vendaje.

El *Canario* las contempló lleno de furia: silenciosas, *eficaces,* revoloteaban a su alrededor como monjas o enfermeras, evitando, púdicamente, toda alusión al estado en que se encontraba.

—¡Pues sí! —les gritó—. ¡Estoy borracho!

Lo repitió, una y otra vez, hasta quedarse ronco. Y, de pronto, el recuerdo de lo ocurrido aquella noche desfiló vertiginosamente ante sus ojos: la escena familiar de la víspera, enfrentado contra el nieto y las dos hijas; el portazo, la enloquecida peregrinación por los bares y tabernas; las peleas; los insultos; la noche al sereno; la bebida otra vez; y, finalmente, la irrupción espectacular en el Homenaje a la Vejez.

La brusca conciencia de su aislamiento le produjo
una incomparable amargura. Estaba solo. Sus hijos ya
no eran sus hijos. El mundo por el que había luchado
y sufrido, se había venido abajo. Y sólo quedaba el
otro, el presente, grotesca caricatura de sus sueños,
como una cáscara hueca y pretenciosa, vacía de todo
significado.

Cubierto de ungüentos, vendas, pomadas y espa-
radrapos, examinó la habitación de Pilar, abarrotada
de estatuillas, grabados e imágenes de santos; la hor-
nacina luminosa del rincón; la alcayata donde pen-
dían los rosarios. Pilar tenía treinta y dos años y
aparentaba casi sesenta. Remedios, desde su viudez,
vestía siempre de negro y era más mojigata que su
hermana. Por la puerta vio asomarse la figura teme-
rosa de su nieto: flaco, raquítico, llevaba el pelo
cortado al cepillo y gafas montadas en el aire. Era
el único varón de la familia. El que, había soñado
un día, perpetuaría su sangre y su linaje.

—¡Dejadme en paz! —gritó desprendiéndose de
las manos que le cuidaban—. ¡Idos de una vez al carajo!...

—Pero, papá...

—¡Largaos!... ¡Fuera de aquí!... ¡No quiero ni
veros!...

—¡Abuelo!... —susurró el nieto intentando apro-
ximarse.

—¡Y tú antes que nadie!... ¿Me oyes bien?... ¡El
primero!...

El nieto se escurrió como una sombra, lloroso y
acobardado. Algo más tranquilo, el *Canario* se recostó de nuevo en el sillón. Y, con una mezcla de
desdén y piedad, permitió que sus hijas continuasen
enrollando solícitamente la inacabable venda blanca
en torno a su magullado antebrazo.

TERCERA PARTE

L A carretera general se abría paso entre los bruscos accidentes de la sierra, bordeada a un lado por un roquedal ardiente, manchado por el verde de los pinos, y al otro, por un acantilado vertical contra el que el mar iba a estrellarse. El tramo había sido bautizado en los periódicos con el nombre de Ruta de la Muerte y las estadísticas le asignaban el «record» nacional de accidentes al fin de cada año. Pero ni esto, ni las severas advertencias de *Precaución* o *Peligro* impresionaban demasiado a los expertos que, como Johnny, buscaban una ocasión para lucir sus habilidades a golpes de volante; el taxista mantenía orgullosamente sobre sesenta la flecha indicadora de los kilómetros, aferrándose tenazmente al alquitrán de las imprevisibles curvas sin peralte.

Recostado en el asiento trasero, Utah le dejaba hacer. Desde hacía unos minutos, su cabeza era un hervidero de ideas confusas, en el que inútilmente intentaba poner cierto orden. El paisaje familiar de la carretera, al imponerle la evidencia del retorno, le enfrentaba, a su pesar, con un sinfín de problemas que, hasta entonces, se había esforzado en dejar de lado. En primer lugar, estaban las cuatro mil pesetas que debía al taxista. Luego, el dinero para afrontar las próximas semanas. Examinado a la cruda luz de los hechos, su viaje a Madrid constituía un rotundo fracaso; el préstamo de su hermano se había desvanecido; en lugar de venir con lana, volvía trasquilado.

La conciencia del atolladero en que se había metido le produjo una aguda sensación de miedo. En el asiento delantero, Johnny y el mecánico reían, pero su risa, que tanto le había regocijado durante el viaje, se le antojó, de pronto, aleve y siniestra. Utah abrió la ventanilla del coche y se enjugó el sudor de la frente. Se ahogaba de calor y tiritaba. Era como si estuviera al borde de un pozo y alguien quisiera empujarle dentro.

—Veamos —murmuró.

Le había invadido una sed repentina y buscó la botella a tientas.

—Veamos.

La encontró al fin debajo del asiento y comenzó a beber sin respirar. Al punto sus inquietudes se disolvieron en una atmósfera cordial y optimista, como bañadas por una luz nueva. La imagen de don Julio fumando un cigarro habano le causó una reconfortante sensación de bienestar. A aquellas horas, debía haber recibido ya su telegrama y, a su llegada, le adelantaría la cantidad precisa. Sus amenazas le meterían miedo en el cuerpo y, para sacárselo de encima, le firmaría un cheque en blanco. Con el cheque tendría más que suficiente para pagar a los taxistas y, con lo restante, compraría un traje nuevo a su mujer y una bicicleta niquelada a Luz Divina.

—Don Julio me dará lo que le pida —dijo.

—Sí, jefe.

—Le he telegrafiado ya, y debe estar esperándome.

Por un momento, la idea de que don Julio pudiera negarse, le llenó de confusión. Pero Utah deslizó una mano sobre su frente, como para borrarla y, empuñando la botella de coñac por el gollete, se atizó un último trago.

—Si no me lo da —dijo al concluir— me lo cargaré. Cogeré mi arco y mi carcaj y le dispararé contra la panza.

—¡Bah, no se preocupe usted! —tranquilizó Johnny—. Si se resiste, nosotros le echaremos una mano.

Utah contestó con un gruñido y cerró los ojos. Cuando los volvió a abrir, el taxi había doblado la última curva y Las Caldas se extendía alegremente por el llano, con sus glorietas, atalayas, iglesias y cupulitas. Sus casas, enjalbegadas con cal durante el invierno, estaban profundamente adornadas con flores y banderas y, en aquel momento, como si hubieran absorbido durante el día la luz del sol, parecían restituirla al crepúsculo, milagrosamente blancas, luminosas y limpias.

—Las Caldas —dijo el mecánico leyendo el poste indicador.

—Sí, ya hemos llegado —confirmó Utah.

Se adentraban por el tramo paralelo a la vía férrea, pero tuvieron que frenar la marcha al acercarse al surtidor de gasolina: una extraña procesión con estandartes, guiones, banderas y cirios, venía en dirección opuesta, curiosamente irreal en la penumbra crepuscular, hacia la vieja ermita de San Saturnino.

Frente al surtidor, el tráfico se embotellaba. Asomándose a la ventanilla, Utah distinguió al párroco, vestido con un traje profesional, seguido de un cortejo brillante de diáconos y monaguillos. Obedientes a la cascada voz de un cura viejo, los fieles que iban detrás canturreaban un himno en latín. Utah identificó sucesivamente a doña Carmen y a la señorita Elvira, a la señora Olano y a Regina. El taxi desfilaba majestuosamente junto a ellas. Al cabo, Utah no pudo resistir más y, con un ademán fugaz, impartió una bendición pequeñita.

Sus compañeros manifestaron su regocijo con una carcajada; pero su risa, aduladora, servil, tuvo la virtud de despertar el recelo de Utah. La idea incubada a lo largo del viaje: *Les debo cuatro mil pesetas, a él y a Johnny. En realidad, ellos son mis enemigos,* comenzó a hostigarle con encarnizamiento. Y los viejos temores que el coñac no había logrado desvanecer, desaparecieron de nuevo como sucios murciélagos de alas marchitas, obligándole a precipitarse una vez más en el despeñadero de sus improvisaciones y fantasías:

—Cuando llegue al pueblo compraré un estilete de nácar y lo hundiré en el corazón de don Julio. Un pequeño golpe, ¡zas!, y todo habrá concluido. Luego, vestido con mis ornamentos rituales, me asomaré el balcón del Ayuntamiento para que el pueblo me aplauda.

—¿Y qué les va usted a decir? —preguntó el mecánico—. En esos casos, siempre se dice algo.

—Nada —repuso Utah—. Me despojaré del cetro y les enseñaré mi ombligo.

Habían desembocado en la calle Mayor y se dirigían al centro de la villa. Las aceras estaban llenas de gente endomingada. En la plaza había un concierto al aire libre. Reteniendo el aliento, Utah dejó que el coche pasara de largo frente a la puerta de su casa.

—Tuerce a la izquierda —dijo, cuando llegaron al Paseo—. Allí. En el bar del farolillo rojo.

Johnny aparcó junto al *Refugio.* Como barridas por la brisa nocturna, las últimas claridades del crepúsculo desaparecían con rapidez. El orgulloso perfil de las palmeras se disolvía en lo oscuro.

Utah echó mano a la cartera y entregó su último billete a los dos hombres:

—Esperadme aquí, tomando unas copas. Mi mujer vive en el piso de arriba. Subo un minuto a decirle que baje.

* * *

Cuando el reloj del vestíbulo dio las seis, su madre había puesto punto final a los preparativos de la fiesta. En los estantes festoneados del armario, los bocadillos, las pastas y los churros llenaban media docena de bandejas. Luz Divina dejó de limpiar los vasos y contempló con aprobación la obra realizada. Su madre había ido a la habitación a cambiarse. Incapaz de aguantar un segundo más, la niña sacó la chocolatera del fuego y la puso también, con los tazones y los platos, sobre el hule cuadriculado de la mesa.

—Ahora sólo faltan los invitados —dijo a media voz.

Nenuca se había ido dos horas antes, despechada por su decisión de no enseñarle los últimos telegramas de Utah, y la niña lamentaba haberse dejado llevar tan lejos por su deseo de venganza. Nenuca era pequeña, maliciosa y terca, pero, muy a menudo, su presencia le resultaba indispensable. Sola, Luz Divina no podía dar rienda suelta a sus emociones de una manera adecuada. Los nervios le obligaban a cantar, reír, dar vueltas, repetir una misma cosa docenas de veces, hasta un extremo verdaderamente insoportable.

—¿Puede saberse por qué no te estás un segundo quieta? —le había dicho su madre—. Siéntate o acabarás por contagiarme tu baile de San Vito.

Pero, aun queriendo, ella no le había podido obedecer. Su agitación era tal, que no se sentía responsable de sus actos. La idea de ser admitida en el círculo de las mayores la llenaba de vértigo: a partir de aquella noche sería una persona mayor; nadie la dejaría de lado como hasta entonces; las amigas de Vicky la aceptarían en sus fiestas; sin hacer caso de las observaciones de su madre, se probó seis veces el mismo traje, cambió otras tantas de forma de peinado, recorrió el piso de un lado a otro lanzando gritos e, incapaz de guardar la emoción para sí sola, se asomó al balcón delantero e interpeló a los transeúntes que pasaban por la calle.

—¿Puede usted decirme qué hora es?

La pregunta era una fórmula como otra de entablar conversación. Y, una vez el interpelado se había detenido, sin darle apenas tiempo de responder, Luz Divina le exponía, como quien recita una lección aprendida de memoria, su inmediata admisión en el círculo de las mayores, su propósito de no salir jamás en compañía de chiquillos, su decisión de realizar un gran viaje.

Proyectos lejanos e imprecisos se convertían de pronto, como por arte de magia, en prometedoras realidades, que ella, Luz Divina, exponía ante seres desconocidos con voz firme y grave: los invitados recibirían una tarjeta con su nombre a medida que fuesen llegando y todos los que quisieran entrar sin tarjeta serían expulsados; la tarjeta sólo sería concedida a personas de más de doce años y su posesión otorgaría el privilegio de estampar la firma en el álbum.

Reconocido así, de modo solemne, su derecho a integrar el grupo de las mayores, se iniciaría, para ella y los suyos, una nueva vida: con el dinero que Utah traería de Madrid, Luz Divina se haría arreglar la habitación de cabo a rabo, y, luego, tal como le había profetizado la gitana, emprendería un crucero de placer por el Atlántico.

—No sé... Quién sabe si llegaremos a la India —decía la niña que, tras esas palabras, alegando la necesidad de revisar personalmente los preparativos de la merienda, daba por concluida la charla.

Pero, después de repetir su número a tres personas distintas, le invadió, de pronto, un profundo disgusto de sí misma. Sus palabras sonaban falsas a sus propios oídos. Su garganta estaba reseca de tanto hablr. Tenía los ojos velados como por una película salina y su corazón palpitaba de un modo extraño.

Fue entonces cuando empezó a vestirse y desvestirse y a cambiar cien veces la forma de peinado, hasta que el cansancio la venció también y, sin poderse aguantar más, vuelto su corazón reloj con minutera, bajó al portal a esperar a los invitados.

Pero Nenuca le había tomado la delantera: apostada en el balcón de la casa vecina, en medio de un horrendo cortejo de arrapiezos, comenzó a hostigarla inmediatamente con su vocecita dura y clara:

—¡No vie-ne na-die!... ¡No vie-ne na-die!...

Hasta que Luz Divina, incapaz de soportar el galimatías de gritos y silbidos, no tuvo más remedio que abandonar el portal y refugiarse en el interior de la casa. Allí, el reloj señalaba las seis menos diez. Su madre había ido a la habitación a cambiarse. La niña se aseguró por última vez de que todo estaba en orden y empezó a recorrer el piso de arriba abajo. La sala, el comedor, el vestíbulo: la casa entera olía a chocolate. Luz Divina transportó las bandejas al improvisado *buffet* de la galería. Durante unos momentos permaneció allí inmóvil, inspirando la brisa nocturna, con los ojos cerrados. Luego, cambiando de idea, las volvió a llevar a la mesa de la cocina. Segundos después, el brusco sonido del timbre anunció la llegada del primer invitado.

Luz Divina corrió a abrir la puerta alisándose los
pliegues del vestido y, a partir de entonces, todo pareció convertirse en una pesadilla endemoniada. Con
excusas de diferente calibre, Lucila, Rosa, Montse y
María Gloria se presentaron en un breve intervalo de
tiempo para decirle que les era completamente imposible asistir a la merienda, tal como habían proyectado.

—Mamá se ha empeñado en llevarme con ella al
cine —dijo Lucila.

—Mi abuela ha vuelto a recaer otra vez y vamos
a verla a Barcelona —dijo Rosa.

En cuanto a Montse y a María Gloria, se presentaron, según confesión propia, a dar solamente una
vuelta y, en vista de que no había nadie, se marcharon en seguida, con la promesa de volver al cabo de
un rato.

En el grupo de los chicos, la cosa fue aún peor.
Pese a que Luz Divina se había tomado la molestia
de llamarles uno a uno, llegado el momento de la
verdad, ninguno cumplió lo prometido.

El reloj señalaba las siete menos diez; la casa
estaba como al acecho y fuera era noche cerrada, y las
bandejas seguían llenas de pasteles, el chocolate se
enfriaba en los tazones y los invitados no llegaban...

Sentada en el taburete, junto al fogón, su madre
guardaba un piadoso silencio, pero la expresión ape-
nada de su rostro era más elocuente que cualquier
palabra. Nenuca, por su parte, se había asomado a
la tapia del jardín con media docena de chiquillos y
celebraba el fracaso de la reunión con gritos de alegría.

Luz Divina creyó enloquecer. Lo ocurrido le parecía producto de un acuerdo previo, una broma de
mal gusto que sus amigas le habían gastado. Con los
ojos velados por las lágrimas contempló una vez más

las terribles habitaciones vacías. El chocolate seguía humeando en los tazones. Sobre las fuentes de bocadillos sin tocar, la lista de invitados clavadas en el tabique constituía el peor sarcasmo.

—Las siete —dijo mamá con voz dulce—. Si te parece podemos tomar el chocolate antes de que acabe de enfriarse.

Se sentaron, una frente a otra, sin decir palabra, junto a las ordenadas bandejas de bocadillos, las tazas humeantes y los platos, acechadas por un negro silencio hostil, interrumpido a trechos por el alegre griterío de Nenuca y los rapaces. Luz Divina comenzó a engullir las pastas con rapidez; inútilmente quería detener el río de sus lágrimas. Al fin, sin poder contenerse ya, se asomó a la galería, llorando a moco tendido, hasta que los chiquillos encaramados en la tapia del jardín interrumpieron su griterío, asustados.

La niña aguardó a que se hiciera silencio. Entonces, con una voz cuya firmeza le sorprendió a sí misma, les gritó:

—¡Vamos, venid, qué esperáis!... Tengo montones de bocadillos, churros y chocolate. El que quiera, está invitado.

* * *

Las tardes húmedas y apacibles de otoño constituían el tormento de la señorita Flora. Aquel año, en especial, se habían hecho penosas e interminables, y Flora las había visto desfilar al borde del delirio. Las recoletas calles del barrio indiano presentaban el mismo aspecto todos los días, el sol refulgía de igual modo sobre el revoque enjalbegado de las casas y, al quitarse, la luz blanca y brillante del cielo parecía escurrirse por los tejados y los muros, empapando el asfalto gris

de las aceras, de una fosforescencia ávida y triste. Cada
noche, la vida parecía extinguirse por completo, para
reaparecer al día siguiente, monótona, repetida, terrible.

Durante todo el otoño, Flora había vagado de un
lado a otro como una criatura perseguida. Pero, pese
a lo encarnizado de su búsqueda, no había encontrado
un solo lugar donde poder refugiarse. Los bares en los
que hubiese deseado entrar estaban incluidos en la
lista de los Sitios Poco Recomendables, elaborada por
Regina y sus amigas.

En verano, al menos, durante el apogeo del turismo, Flora había ido a los cafés del Paseo a ver a la
gente, acunada por el ritmo de alguna música pega-
diza y alegre, sin ser criticada por ello, por las amistades de su círculo.

Pero, en otoño, todo era distinto. Las normas severas de la moral, adormecidas durante los meses es-
tivales, campeaban de nuevo por sus fueros y nadie
se hubiese atrevido a vulnerarlas, sin incurrir, a ojos
de los demás, en una herejía gravísima. Quedaba el
cine, único esparcimiento admitido por la sociedad
de Las Caldas, pero ni siquiera funcionaba todos los
días y, para ir a él, Flora debía buscar la compañía de
una amiga, so pena de ser inmediatamente criticada.
Y Flora no tenía más remedio que permanecer en su
casa tardes enteras, aunque ello significase soportar
varias horas de charla con Regina.

Aquella vez, por excepción, había logrado que su
hermana fuese a la procesión sola y se quedó a descansar en su cuarto, pretextando un dolor de cabeza.
Desde la escena penosa de la víspera, Regina se mostraba amable y servicial con ella, hasta el extremo de
hacerle recelar alguna trampa. A fin de dar mayor
verosimilitud a sus excusas, Flora se había hecho traer

la comida a la habitación y la había devuelto casi
intacta, sin hacer caso de las protestas consternadas
de Lolita. Sentada en la mecedora, junto a la ventana, aguardó pacientemente, haciendo ganchillo, a
que su hermana se marchara.

Entonces arrojó el ganchillo al cesto de costura y
abrió de par en par el armario en donde guardaba
sus trajes. Siempre que estaba sola le gustaba revisar
atentamente la colección de sus vestidos antes de decidirse por ninguno. El examen solía ser largo y Flora
lo realizaba con minucia. Hecha la elección, se lo
ponía frente al espejo de luna y añadía encima cuantos adornos tenía a mano : collares, brazaletes, cama-
feos, esmaltes, haciendo caso omiso de su valor, desde
la aguja de brillantes que su padre trajo de Cuba,
hasta las relumbronas baratijas compradas en algún
almacén de bisutería al precio de unas pesetas.

Tras muchas vacilaciones, su elección de aquella
tarde recayó en el traje lila. Flora se duchó antes de
ponérselo y lo completó con el cinturón malva y los
zapatos de piel de antílope. El espejo le devolvió una
imagen halagadora, como envuelta en un halo de nie-
bla imprecisa. Flora se peinó entonces con sumo cuidado. Su pelo era brillante, negro y sedoso, y resba-
laba suavemente sobre sus hombros. Algunos mechones
se rebelaban encima de la frente y Flora los sujetó con
una cinta.

Vestida ya, abandonó el dormitorio y se encerró
en el saloncito de su hermana. Allí, entre aquellos
muebles que conocía desde niña, se sentía más a res-
guardo que en su cuarto. Desde hacía algún tiempo
experimentaba, a menudo, amagos de vértigo y, durante unos segundos, le resultaba imposible decir una
palabra. Otras veces, a medianoche, se despertaba empapada en sudor, con la penosa sensación de haber

gritado. Previsoramente, buscó el llavín en el bolso y abrió el armario, donde guardaba los cordiales.

Flora bebía a espaldas de Regina, que no podía sospechar que la botella de malvasía que guardaba para ofrecer a las visitas, se había renovado varias veces desde el comienzo del verano: unas cuantas copitas al día, justo para entonarse. A veces, cuando la opresión que le invadía era mayor que de costumbre, Flora llevaba la botella de malvasía a su cuarto y bebía algunos vasitos —sólo algunos— antes de meterse en la cama. El cordial la ayudaba eficazmente a luchar contra el insomnio y la hacía dormir de un tirón hasta mitad de la mañana.

Era absolutamente falsa, pues, la versión difundida por Elvira, según la cual, la tarde en que fue abordada por un individuo en los jardines del Laberinto, *estaba completamente borracha.* Flora había bebido, como entonces, un vaso de malvasía y una copita de estomacal. La prueba era que, cuando el individuo se acercó a ella haciendo ademanes obscenos, había tenido la suficiente presencia de ánimo para gritar pidiendo auxilio, lo que mostraba, sin lugar a dudas, que se trataba de una calumnia inventada.

También, y sin que Regina se enterara, había comprado una botella de *Parfait Amour:* era un licor suave, de un color violeta pálido, que bebía en las copas de cristal de la vitrina, espolvoreando el reborde con azúcar, tal como había leído en una revista de modas. Cambiando bruscamente de idea, Flora fue a buscar la botella a su dormitorio y se sentó a beberla en la mecedora, frente a la amarilla fotografía de Beremundo.

Cuando el ruido metálico de la puerta anunció la partida de Lolita, Flora suspiró tranquilizada. La chiquilla tenía la fea costumbre de meter la nariz en todas partes: con una extraordinaria habilidad se esforzaba en obtener confidencias, y Flora no estaba muy segura de que las reservase exclusivamente para ella. Pensándolo bien, Regina no dejaba de tener razón cuando decía que al servicio no debe dársele ninguna confianza.

Flora cogió una revista de cine de la mesita e imprimió a la mecedora un leve balanceo. Las páginas del semanario ofrecían el cuadro de un mundo embriagadoramente fácil, donde los amores se trenzaban y destrenzaban con alegría, y los amantes cambiaban de pareja como a los acordes de un rigodón o de una pavana: «*La conocida actriz X. X. anuncia que piensa contraer, por cuarta vez, matrimonio...*» «*Prefiero vivir mi vida, declara Z. Z. después de divorciarse de su tercer marido, el clarinetista...*»

La señorita Flora interrumpió la lectura, enervada. Tenía la boca seca y los ojos le escocían. Su copa estaba medio vacía y la apuró de un solo trago. Volvió a llenarla y la bebió de nuevo. Desde la cómoda, el rostro juvenil de Beremundo sonreía. Flora paseó a su alrededor una mirada extraviada: el espejo le devolvía una imagen malva y lila, desdibujada por las sombras del crepúsculo; el resto de la habitación acechaba en la penumbra, como a la espera de una gran catástrofe. Y, de repente, todo se puso a girar como un vertiginoso tiovivo, la ventana, el espejo, el rostro de Beremundo, la copa nuevamente vacía y el timbre —¡oh, el timbre!— que sonaba, sonaba, sonaba...

A veces la realidad de las cosas parecía eclipsarse de un modo repentino y Flora debía moverse a tientas, como en un universo de fantasmas. Sus pies fingían apoyarse en el suelo y la sostenían milagrosamente en el aire.

Haciendo un esfuerzo, logró abrirse camino entre los muebles que flotaban a la deriva por el piso, como agitados por un vendaval irrazonable. El sonido del timbre percutía dolorosamente en sus oídos. Flora atravesó el vestíbulo con la botella de *Parfait Amour* entre las manos. Detrás le parecía oír como el tic-tac de un reloj enloquecido. Al llegar a la puerta, se detuvo, y se apoyó en el pomo, jadeando.

Lo restante era entreverado, confuso, producto de alguna alucinación endiablada.

En virtud de un extraño desdoblamiento, Flora podía verse «en personaje», con su traje lila y malva, su pelo negro revuelto y su artificioso colorete desvaído; un personaje que abría la puerta a un hombre y la cerraba silenciosamente a sus espaldas: su doble, sí, pero un doble *desconocido* que cogía la mano del idiota y lo llevaba de puntillas a su cuarto, en medio del acechante crujido de los muebles; a su cuarto, ahogada de calor y al borde del delirio; a su cuarto, con el cuerpo de esponja y el corazón hueco; a su cuarto, como en sus sueños.

A su cuarto...

*   *   *

Un foco de luz multicolor iluminaba el pedestal improvisado junto al rectángulo azul de la piscina. En la terraza, los farolillos chinos creaban en torno a las mesas charquitos sugestivos de color; de vez en cuando, un soplo de viento les hacía bambolear suavemente y, a través de las ramas, parecían flores exóticas mecidas por la brisa. Los demás chicos correteaban por el bosque a la luz de docenas de bombillas: alguien las había disribuido sobre el césped vestidas con acordeones de papel y refulgían en lo obscuro como destellos de luciérnaga. En el salón, los padres bailaban sobre el brillante ajedrez del embaldosado. Tras el vidrio funcional del edificio, su presencia tenía algo de irreal. Entreverados de helechos y de cactos, parecían un grupo de medusas en el decorado artificial de un acuario.

Cuando Vicky llegó, el juego aún no había comenzado. La señora de López, vestida con un hermoso traje de seda y tafetán, recorría el jardín del brazo de su marido, mientras Sonia, en cuyo honor se daba la fiesta, se ocupaba de la difícil labor de asignar sitio a los invitados a medida que iban llegando.

—¡Vicky, mi vida, qué alegría! —había dicho al verla—. Precisamente estaba pensando en ti. El hijo de los cónsules de Venezuela te quiere de pareja para el *party*.

Y cogiéndola por la punta de los dedos, la había arrastrado hasta el sofá, donde un muchacho vestido de azul marino, con una elegante corbata gris, y un cuello redondo de almidón, bebía un vaso de ponche, con aire vagamente adormilado.

—Jorgito Suárez. Vicky Olano.

Procurando no dejar traslucir su alegría. Vicky se había sentado junto a él. El hijo del cónsul tenía fama de donjuán en la colonia femenina de Las Caldas. Su posición económica le convertía, a ojos de las chicas casaderas, en un partido envidiable. Por si ello fuera poco, su físico despertaba una admiración sin reservas: dónde quiera que fuese atraía inmediatamente las miradas.

—¿Tienes compañero en el escondite?

—No, ninguno.

—Entonces, si te parece, podemos ir aparejados.

Sentados en el sofá de la galería habían charlado, animadamente, de deportes y automóviles en medio de la envidiosa admiración de sus amigas. Luego, como aún era temprano, Jorgito la había cogido familiar-

mente del brazo y, juntos, habían dado una vuelta
completa en torno al edificio.

Cuando llegó la hora fijada para el juego de escondite, las parejas se reunieron poco a poco alrededor
de la piscina. La señora de López fue también, con
un grupo de marinos americanos expresamente invitados al *party* por su marido. Subida en lo alto del
pedestal, Sonia rifó la suerte de los dos bandos, y a
Jorgito y Victoria les tocó el de los perseguidos. Desde
el sonoro altavoz de la terraza, la niña empezó a contar a cien en inglés. Vicky y su amigo corrieron hacia
la intrincada vereda del bosque, procurando eludir la
luz de los farolillos. Durante unos momentos erraron
sin rumbo, entre los árboles. Después, tomándola bruscamente del brazo, Jorgito la arrastró, por entre unos
matorrales, hasta un lugar escondido.

—Aquí vamos a estar bien. Si hablamos en voz
baja y no nos movemos, no habrá quien nos descubra.

Vicky se acomodó junto al tronco de un árbol. Un
frondoso macizo de laureles les sustraía a las miradas
de cualquier perseguidor que pudiese discurrir por
aquel sitio. Cuidando de no arrugar su falda, la niña
se tendió sobre la hierba, hombro con hombro, al lado
del muchacho.

—¿Has jugado mucho al escondite por parejas?
—preguntó él, aflojándose el nudo de la corbata.

—No. Es la primera vez que lo hago en mi vida.

—Cuando mi padre estaba en Hamburgo, jugába-
mos todas las tardes. A mí me gusta —añadió bajando
la voz—, porque permite besarse a las parejas sin
que nadie las espíe.

—Eso depende de la clase de parejas —repuso
Vicky.

—Sí, claro. Pero, para eso, uno, que no es tonto,

procura escoger siempre a una niña guapa, alegre, que tenga simpatía...

—A veces puedes equivocarte.

—No, no me equivoco. El otro día, cuando te vi en la bolera lo pensé inmediatamente: he aquí una muchacha perfecta para jugar al escondite.

—Yo no sabía quién eras, entonces. Como Sonia se olvidó de presentarnos...

—Tampoco lo sabía yo, pero se me ocurrió igualmente...

—Pues es un milagro que haya venido —dijo Vicky—. En realidad, debía haber ido a merendar con una amiga.

—También yo tenía una cita en Barcelona, con una conocida. La pobre aún debe esperarme.

—Lo mío es mucho peor: ayer mismo hablé con la chica y le dije que iría a su casa. Es la hija de Utah, este pintor tan simpático al que le falta un tornillo. Pero, ¿qué quieres?, no iba a desaprovechar la ocasión... Fiestas así no se dan todos los días.

—Yo creí que en Las Caldas os divertíais bastante.

—Créetelo, hijo. Yo, que vivo aquí todo el año, tengo derecho a decírtelo. Mi padre está de ingeniero en el Gas y, claro, debemos vivir aquí. ¡Y es horrible!

—Pues a mí, en cambio, me gusta. No es como los otros pueblos de por ahí. Está lleno de *carros*, de turistas...

—A ti, sí, claro, porque has venido aquí de paso; pero, si hubiesen vivido como yo, más de tres años...

—Si, a la larga, puede que aburra.

—¡Y de qué manera, hijo! Aún, en verano, siempre encuentras algo que hacer; pero, lo que es en invierno...

—A mi viejo se le ha metido la idea de hacerse ahí un chalet.

—Ya te he dicho que, si es para pasar unas semanas, incluso llega a ser divertido.

Hubo una pausa cortada, de pronto, por la gangosa voz de Jorgito:

—¿Te enfadarías mucho si te besara?

—No, creo que no —repuso Vicky, con la entonación de las actrices americanas, que reservaba para los momentos difíciles—. En fin, puedes intentarlo.

El muchacho la cogió por los hombros y aplicó sus labios contra los suyos. Abrazados, uno contra otro, permanecieron sin moverse durante cerca de un minuto.

—¿Qué te parece?

—No está mal.

—Si quieres que probemos otra vez...

—Lo que tú digas...

Volvieron a besarse, recostados contra el tronco del árbol, pero el crujido de unos pasos en la grava les puso sobreaviso.

—Chist.

—¿Qué ocurre?

—Me parece que viene alguien.

Espectral a la luz de la luna, una pareja de perseguidores pasó delante de ellos. El muchacho llevaba un pantalón a rayas y una chaqueta de confección. La silueta frágil de su acompañante iba como envuelta en un remolino de gasas. Durante unos segundos permanecieron al acecho, como congelados por la luz fría que rezumaba sobre el césped. Al fin, rompiendo el hechizo que los mantenía encantados, se deslizaron sin ruido hacia el sendero que conducía a la terraza.

—¿Crees que nos han visto?

—No. Ya se marcharon.

En tanto duró el peligro, Jorgito le había pasado

el brazo alrededor de la cintura. Vicky se dio cuenta de ello al hurgar dentro del bolso. Pero el brazo fue como olvidado y continuó en el mismo sitio.

—¿Qué haces? —exclamó él, de pronto.

—Nada; voy a encender un cigarrillo.

—¿Estas loca? —Jorgito la contemplaba estupefacto—. ¿No ves que van a vernos?

—Mejor —repuso ella—. Así será más divertido.

El viento que agitaba muellemente las ramas de los árboles llevó hasta sus oídos las notas desgarradas de una trompeta, interferidas por un rumor de voces y de risas procedentes de la terraza.

—Quisiera que estuviésemos ya en verano —dijo Vicky.

—¿Por qué en verano? ¿No estás bien así?

—Papá ha prometido llevarme a Inglaterra en junio.

—Entonces, es probable que nos veamos —dijo él—. Por esas fechas, más o menos, debo ir a Londres a ver a unos amigos.

—También yo tengo amigos allí: George Stevens, un compañero de Sonia... Su familia pasa aquí los veranos.

Hubo un breve silencio y Jorgito preguntó:

—¿No será ése tu antiguo prometido?

—¿Mi antiguo prometido? —murmuró Vicky, con voz cándida—. Pero si no he sido jamás novia de nadie...

—La otra tarde, cuando te vi en la bolera, pregunté si tenías novio a una de tus amigas. Y me dijo que lo habías tenido hasta hace poco, pero que os habíais peleado.

—¡Qué tontería!... George y yo somos sólo dos buenos amigos. De eso, a sostener que somos novios... No sé quién ha podido contarte tal disparate.

—No sé, no recuerdo —dijo Jorgito—. En cualquier caso me alegro de haberlo preguntado.

Dos parejas atravesaron una encrucijada del jardín dando gritos. En el bosque, millares de ranas y grillos componían una sinfonía exótica. A través de las ventanas de la casa oyeron las voces de los americanos, cantando.

—También a mí me han dicho que tú tenías novia —soltó al fin Vicky.

—No me digas...

—Y que pensabais casaros dentro de un año.

El rostro macizo de Jorgito se iluminó. A pesar de la oscura criba del follaje, Vicky podía distinguir perfectamente los rasgos de su cara.

—Pues también es enteramente falso.

—A mí me lo dieron como seguro.

—Pues te mintieron. Si quieres, puedes preguntárselo a mi padre.

—¿Preguntárselo? ¿Por qué? —Vicky arrojó el cigarrillo al sendero—. Al fin y al cabo, es asunto tuyo.

El brazo inmovilizado en torno a su cintura hizo sentir su presencia: Jorgito había localizado, al fin, el cierre de la falda y sus dedos acariciaban suavemente la piel de sus caderas.

—¿Sabes que eres una chica muy extraña?

Vicky sintió la presión de su cuerpo junto al de ella. Jorgito la había cogido entre sus brazos y la oprimía fuerte contra su pecho. Ella le dejó hacer, en silencio, íntimamente orgullosa de sí misma.

Cuando se dio cuenta, momentos más tarde, alguien se había escurrido por el sendero sin hacer ruido, alguien lo suficientemente exiguo para abrirse paso por un camino de ratón. Ese alguien había gateado en silencio por la pinocha y aguardaba, muerto de miedo, al otro lado del pino. Era Pancho.

—¿Qué haces aquí? —exclamó Vicky, llena de sobresalto—. ¿Cómo nos has encontrado?

El niño no respondió inmediatamente. Arrastrándose de rodillas por el suelo fue a buscar un rincón del claro iluminado por la luz de las bombillas.

—Zonia me ha dicho que eztabaiz en el bozque y me ha enzeñado el camino.

Pasado el primer momento de estupor, Vicky sintió que el furor coloreaba sus mejillas: la presencia del niño en la fiesta con su sombrero tejano y sus revólveres al cinto, le parecía casi un insulto.

—¿Puede saberse quién te ha dejado entrar? ¿No sabes que no es una fiesta para críos?

—Me aburría zolo —dijo Pancho a punto de estallar en sollozos—. Con el duro que me dizte fui a los cochezitos y dezpuéz...

—Pues ya puedes largarte por donde has venido. ¿No ves que estamos jugando?

—Mamá te dijo que no me dejazez zolo —loriqueó el niño.

—Sí, pero yo te he dado un duro para poder estar tranquila.

Pancho no contestó. Una lágrima brillante resbaló junto al perfil de su nariz y fue a caer en la pernera de su pantalón tejano.

—Vamos, qué esperas —insistió Vicky.

—No zé adónde ir...

—Vete a buscar a Carlitos y jugad los dos a *cow-boys*.

Pancho se puso de rodillas, dispuesto a obedecer. Para acabarle de decidir, Vicky echó mano al bolso y le entregó de nuevo un duro.

—Anda y, ahora, haz el favor de largarte.

—Eztá bien, eztá bien —rezongó el niño.

Al quedarse solos, Jorgito quiso besarla de nuevo,

pero después de la irrupción de Pancho, el encanto
se había desvanecido. Vicky se abandonó a sus inicia-
tivas casi por deber. Cuando Sonia anunció por el
micrófono el final de la partida, se puso de pie, llena
de alivio. En silencio emprendieron el regreso al punto de partida. Durante el camino, las otras parejas
se acercaron a felicitarles e, inútilmente, intentaron
averiguar dónde se habían escondido.

En la terraza, el mal humor de Vicky halló su justificación. Sus amigas habían logrado colarse, al fin,
y charlaban animadamente en medio de un grupo
de chicos:

—Teníamos que ir a merendar con Luz Divina
—decía Montse—, pero mamá no nos dejó. Dice que
no quiere que pongamos los pies en casa de Utah.

—Entonces —preguntó Lucila, muerta de risa—,
¿quién fue?

—Nadie. Cuando llegamos eran más de las seis y
la casa estaba vacía.

—¡Qué desastre!... ¡Pobre Luz Divina!...

Luego, descubriendo la presencia de Vicky a sus
espaldas, dirigieron contra ella sus sarcasmos.

—Pues sí, chica, ya lo ves. También estamos aquí.

—Sonia nos ha invitado esta tarde, para que te
enteres.

—¿Creías que ibas a ser la única invitada?

Vicky no se dignó responder. Muy tiesa, del brazo
de Jorgito, se dirigió hacia la mesa donde la señora de
López, escoltada por los marinos americanos, imponía una medalla a las parejas del bando que había
ganado.

*   *   *

Los chiquillos le obedecieron, gratamente sorpren-
didos. A una señal de Nenuca, se descolgaron de lo

alto de la tapia, apoyándose en las escasas ramas del almendro, perdonadas por el furor destructivo de Utah, y en fila india, como quien se adentra por un terreno enemigo, subieron a la galería, donde la niña les aguardaba como un juez, con sus pequeños brazos cruzados.

A través del sucio cristal de la cocina, Elisa les contempló con atención. Los amigos de Nenuca eran pequeños, sucios y espigados, y la pobreza del barrio en que vivían les confería como un denominador común: el pelo se les alborotaba en anillas sobre la frente y, bajo los párpados, sus pupilas oscuras refulgían. Ocultándose los unos tras los otros, eran como un agreste rebaño de animales, súbitamente abandonado por su pastor.

—Vamos, ¿qué esperáis? Empezad a comer. Todo lo que hay aquí es para vosotros.

Incrédulos, como temiendo una emboscada, los chiquillos se acercaron a la mesa con aire dubitativo. Sus ojos devoraban los pasteles. Al fin, Nenuca cogió un trozo de tarta y se lo llevó audazmente a los labios. Los otros la dejaron hacer: con la mirada, acechaban una posible reacción de Luz Divina. Después, en vista de que nada ocurría, se abalanzaron sobre la mesa en tropel y empezaron a engullir a bocados.

Elisa reunió en una bandeja las tazas de chocolate y las llevó al asediado *buffet* de la galería. Al verla, los chiquillos retrocedieron para hacer sitio. No muy seguros aún de su derecho, comían lo más aprisa posible e, inmediatamente después de irse ella, reanudaron de nuevo el ataque.

De vuelta a la cocina, buscó con la mirada a su hija, pero, aprovechando su ausencia, la niña había dejado el comedor. Elisa se apoyó, desorientada, en una de las jambas de la puerta. La alegría ruidosa de los chiquillos le hacía daño. Después de reflexionar unos segundos, se decidió a buscarla en su habitación.

La puerta estaba cerrada y tenía echada la llave. Elisa golpeó y aguzó el oído. Su primera impresión se afianzó: Luz Divina lloraba. Probó de nuevo, con más fuerza, pero su insistencia no tuvo otro efecto que arreciar la intensidad de los sollozos.

—¡Nenita!...

—¡Déjame en paz!... ¡No quiero ver a nadie!...

Elisa desistió. A través de las puertas abiertas, la casa le pareció horriblemente vacía. Huyendo de la proximidad de los chiquillos, se refugió en el salón. Pero, al pasar frente a la puerta de entrada, se detuvo. Alguien subía dando traspiés por la escalera, alguien cuyas pisadas repicaban en su corazón como un tambor. Ese alguien hacía sonar la campanilla de la puerta y —¡oh milagro!— introducía el llavín en el cerrojo.

—¡Utah!...

Su marido se adelantó para abrazarla y, aún antes de darle el primer beso, Elisa adivinó que había bebido. Pese a que hacía bastante calor, Utah llevaba el abrigo puesto y el cuello de una botella de coñac sobresalía de uno de sus bolsillos. Con el pelo revuelto, la barba en punta y las cejas en acento circunflejo, parecía un diablo de juguete, milagrosamente surgido de las páginas de algún libro de cuentos.

—¡Jesús! ¡Qué sorpresa! —La emoción le hacía hablar con dificultad—. ¿Cuándo has llegado?

—Ya lo ves: ahora mismo.

—Pero si el tren no pasa hasta las nueve...

—Como puedes comprender no he cogido el tren, nenita.

—Entonces... —Elisa sentía, sin saber bien por qué,

deseos de llorar: como siempre que veía a Utah después de una ausencia, apenas podía evitar las lágrimas—. ¿Cómo has venido?

Por toda respuesta, Utah hizo un expresivo ademán
con los brazos. En la desnuda pared del vestíbulo, su
sombra parodió el movimiento de un ave.

—Volando.

—¡Utah!... Te estoy hablando en serio...

—Y yo te contesto con toda seriedad, nenita: he
venido volando. En Madrid me compré unas alas de
libélula...

Hurgó en sus bolsillos con la mímica del que ansiosamente busca algo, pero desistió en seguida al
tropezar con el gollete de la botella.

—Pues no las encuentro. ¡Qué extraño! Creí que
las llevaba encima. Eran blancas como unos topos azules. No sé. Alguien ha debido quitármelas.

—¿Y el equipaje?

Llena de sobresalto, Elisa descubrió que había subido con las manos vacías. Los maletines de piel parecían haberse esfumado.

—El equipaje viene por tren, naturalmente —Utah
pronunció la frase con gran seguridad—. Como puedes suponer, nenita, no iba a volar cargado. El tra-
yecto está erizado de montañas: el Guadarrama, y el
Aneto y el Montblanc y el Himalaya... Aparte de los
pantanos y los ríos...

Elisa creyó comprender. A menudo, rehuyendo la
explicación directa de las cosas, Utah las refería de
un modo oblicuo, revestidas de un halo de fantasía:

—¿Has cogido el avión?

—Por favor, nenita; no tengas esa fea costumbre
de interrumpirme cuando te explico algo... ¿En qué
andaba?... ¡Ah, sí, te hablaba del viaje!... El camino está lleno de ríos. Al cruzar el Ebro...

Cuando entraron en el comedor, los rapaces aglomerados junto al *buffet* de la galería dejaron de comer y contemplaron a Utah, estupefactos. Luego, como movidos por un mismo resorte, corrieron a su encuentro con los brazos tendidos y empezaron a brincar a su alrededor, obedeciendo a una misteriosa consigna. Los que habían bajado al jardín, trepaban a la baranda de la galería y desafiaban la altura de puntillas, como súbitamente trastornados.

Sin atender a las exhortaciones de Elisa iniciaron un espantoso galimatías de voces, mayidos, berreos y palmas en honor de Utah que, inútilmente, intentaba elevar la voz, acorralado él mismo entre la chimenea y el batiente de la ventana.

Fue como un breve instante de borrachera en el que todo el mundo pareció buscar el medio de producir el mayor alboroto posible. Como si desde un principio hubiesen aguardado la llegada de Utah para armar ruido, los niños empezaron a golpear los cubiertos, las sillas, los cristales y los platos. Cada uno se esforzaba en superar la excentricidad de su vecino. Un pequeñajo volvió del jardín con un orinal y, usándolo a guisa de tambor, se dedicó a aporrearlo.

Después, la baraúnda cesó del mismo modo brusco con que se había producido. Como de mutuo acuerdo, los chiquillos dejaron de gritar. Los que abrazaban a Utah, lo soltaron. El del tambor continuó picando durante un buen rato, pero se interrumpió al descubrir que nadie hacía ruido.

Utah tenía la frente empapada de sudor y la enjugó con el dorso de la mano. Luego, aclarándose la garganta, hizo como si fuera a dirigir la palabra a los chiquillos. Pero se detuvo antes de empezar, como solicitado por una idea brusca:

—¿Dónde está la niña?

Elisa se lo explicó en pocas palabras: Luz Divina había querido ofrecer una merienda a sus amigos, pero, por una causa ignorada, éstos le habían dado el mico.

—¿Y ella? ¿Dónde ha ido? ¿A buscarlos?

—No. La pobrecilla se ha encerrado en su cuarto.

—¿Encerrado, dices?

Durante unos segundos el rostro de Utah se oscureció. La luminosa claridad de sus pupilas se vio como empañada por una sombra triste. Pero fue sólo cosa de un instante.

En seguida, sus ojos esbozaron un guiño cómplice y sus cejas se dispararon hacia arriba.

—¡Ah, eso sí que no puede ser!... ¿Triste, mi nena?... ¡Vamos, anda!...

Abandonó la habitación con gesto solemne, pero inmediatamente regresó con la misma rapidez con que había partido. Colgado del tabique, por una alcayata, había un turbante de faquir de relumbrona seda roja. Utah lo ciñó sobre sus sienes como una corona y dio una vuelta a la mesa en medio del regocijo de los niños.

—¿Eh? ¿Qué os parece?

En el aparador había una campanilla plateada, obtenida meses antes en un barracón de tiro. Utah la cogió por el badajo y emprendió la marcha de nuevo. Al llegar a la puerta se volvió: los chiquillos le observaban con ansiedad y les impuso silencio con un signo.

De puntillas, como si temiese despertar a alguien, atravesó el vestíbulo tocado con el turbante de faquir. Elisa y los niños le siguieron detrás. Utah se inmovilizó frente a la habitación y aplicó la oreja contra el batiente de la puerta.

—¡Nenita!... — murmuró.

—¿Quién hay? —la voz de la niña sonó como un susurro.

—El mago Koh-li-Noor que viene a despertarte.

Luz Divina aguardó antes de responder. En medio del silencio que se había enseñoreado del piso, se percibió el crujido de los muelles de su cama.

—Quiero dormir. No quiero ver a nadie.

Utah volvió a acercar la oreja a la puerta e hizo sonar delicadamente la campanilla:

—¿Y si el mago Koh-li-Noor te trae algún regalo?... ¿Y si lleva a la nena una cosa que ella le ha pedido?

Hubo una pausa durante la que Luz Divina pareció reflexionar. Desde el pasillo, Elisa le oía dar vueltas en la cama: al fin, el ruido de sus pisadas en las baldosas anunció a todos que Utah había ganado la partida.

—¿Un regalo? ¿Qué regalo?

—Abre la puerta y lo verás.

Como para acabarla de decidir, Utah volvió a agitar la campanilla... Obediente a la sugestión del tintineo, la niña hizo girar la llave. Hubo un momento de expectación y Luz Divina asomó su cabecita.

—¿Dónde está? — preguntó.

El pelo le caía como una cortina encima de los hombros y sus ojos brillaban, humedecidos todavía por el llanto. Utah la levantó por la cintura y le cubrió la cara de besos. Los chiquillos premiaron la actuación con un aplauso.

—¿Y el regalo? — preguntó, con voz hosca, la niña.

Utah la llevó en brazos al comedor, la depositó sobre la mesa y comenzó a registrarse los bolsillos.

—¿Qué hay por aquí?... ¡Veamos qué hay por aquí!...

Encontró al fin un estuche y lo abrió. Dentro había un diminuto tiovivo de colores que comenzó a girar, al pulsarle un resorte, a los acordes de una musiquilla pegajosa.

—¿Te gusta?

La niña no contestó ni cogió el juguete. Llena de impaciencia, se limitó a manifestar su aprobación con un gruñido.

—¿Y la bicicleta? — preguntó.

Bajo el relumbre oropelesco del turbante, el rostro de Utah expresó una indignación cómica:

—¡Anda, eso sí que tiene garcia!... ¡Igual, igualito que su madre!... Por lo visto se imaginan que voy a llegar con todo un cargamento encima... ¡Pues estaríamos aviados!...

—¿La has comprado? — insistió, esperanzada, Luz Divina.

—¡Nenita!... — Utah gesticulaba como un actor, dirigiéndose a un vasto auditorio —. Tu padre es precioso y te quiere más que nada en el mundo, pero no puede venir con una bicicleta por los aires. Una ley que se llama «de la gravedad» se lo impide.

—Pues yo quiero una bicicleta.

—Y te digo que la tendrás, nenita. Pero no ahora. Por mucho que me esfuerce no puedo sacármela del bolsillo. Ahora papá te ha traído una cajita de música y si le quieres un poco debes darle las gracias.

—Gracias — dijo la niña con voz átona.

—No. Así, no. Se dice muchas gracias, papito, y se le da un beso en la cara.

—¡Muchas gracias, papito! — murmuró la niña, besándole.

—¡Ajá!... ¡Eso ya está mejor!... Ahora — añadió dirigiéndose hacia los otros — estamos ya todos reunidos y hemos de celebrarlo.

—¿Celebrarlo? — preguntó Nenuca —. ¿Y de qué manera?

—Pues jugando a algo; ¡qué sé yo!... Me aburre veros ahí parados...

Hubo una larga pausa, durante la que todos parecieron reflexionar.

—Podríamos jugar al escondite — propuso un chico, al fin.

—O a prendas.

—Para eso hacen falta niñas.

—Sin niñas. Es igual.

—No. Entonces no tiene gracia.

Luz Divina había guardado silencio y dijo de pronto:

—Podríamos jugar al Carnaval.

—¿Al Carnaval?

—Sí; al Carnaval.

—Pero si no tenemos disfraces...

—Si no tenéis — propuso servicialmente Utah —, yo mismo puedo fabricároslos.

Sin darles tiempo a responder, se despojó en un santiamén del abrigo, y revolucionó el cajón de la cómoda, donde guardaba los bocetos. Allí, construidos con cilindros de cartón, había media docena de antifaces expresamente diseñados por él mismo.

Sirviéndose de la paleta y el pincel, Utah empezó a salpicarlos de manchas, en medio de la devota admiración de los chiquillos, que le observaban boquiabiertos.

Elisa abandonó el comedor con un suspiro y se fue a la cocina a fregar los platos. Absorto en la elaboración de sus mixturas, Utah no se dio cuenta de su marcha. Después de haber vagado de un lado a otro como una veleta, su atención parecía haberse anclado al fin en los antifaces.

Aunque hacía una hora que estaba allí, Elisa no sabía nada aún acerca del viaje. Al buscarle los ojos, Utah había bajado la vista, como abrumado por el peso de una falta. En las presentes circunstancias, aquello no podía significar más que una cosa: su padre no había cedido. Elisa interrumpió la labor de fregar y restregó sus manos contra la falda. Sentada en el taburete, junto al fogón, empezó a repasar las cuentas del cuadernillo. Incluyendo el alquiler del trimestre, las deudas ascendían a quince mil: aquella vez nadie podría salvarles.

Utah entró en la cocina, a humedecer los pinceles en el agua y, al verlo con su chillón turbante rojo, tuvo deseos de llorar.

Él se volvió a mirarla, sorprendido. Luego, en vista de que ella callaba, regresó con sus pinceles al comedor. Los chicos se disputaban a gritos la posesión de las máscaras. Utah tarareó una canción. Alguien dijo algo que le hizo reír. Aquella risa, deslumbradora como una luz brillante, se le clavó en el cuerpo, voraz como un cuchillo. Elisa la escuchó con una extraña opresión en la garganta. Su frente se perló de sudor. Utah parecía enteramente feliz entre los niños. Su voz de payaso agotaba su gama de registros al dirigirles la palabra. Su inexplicable sensación de angustia se acrecentó. Un instinto oscuro le advirtió la inminencia del peligro. Debía actuar, y de una manera rápida. Pero era como si todo se hubiera conjurado en torno suyo para mantenerla *al margen*. Las risas, los gritos, las palabras, le parecieron otras tantas maniobras destinadas a distraer su atención de la amenaza. Un niño con un antifaz perverso asomó su cabecita por la puerta. Elisa le contempló llena de horror. La atmósfera se había hecho asfixiante. Quería moverse y continuaba quieta. Como hechizada dejó que Utah se pusiese de nuevo el abrigo y lo acompañó a la puerta, igual que una sonámbula.

—Me marcho un momento, nenita... Un asunto que tengo que resolver... Luego te lo contaré con más calma... Déjame preparada la cena.

La vida, magnánima y olvidadiza para muchos, podía convertirse de repente en algo aterrador. Desde hacía tiempo, a los amigos que venían con el relato de las locuras y extravagancias de su marido, Elisa se había limitado a responder: *No os preocupéis por mí. Sé perfectamente lo que hago.* Le daba igual que Utah se lavara los pies con champán o que jugase a la comba en el parque con los niños. Vivir con él era como pasar la cuerda floja: Elisa aceptaba el riesgo con alegría. *No me importa que sea así. Le amo.* Y, con una sonrisa de desdén, había renunciado a las ventajas de una existencia normal, preocupada tan sólo por la felicidad de Utah y de la niña: *Pese a todos los pesares, cada día me siento más feliz, más unida a ellos.* Sabía que, a escondidas, su familia hablaba de hacerlo encerrar. Tomando su felicidad como pretexto, trataban de impedir que, en el futuro, pudiese dilapidar su fortuna. Además, de un tiempo a aquella parte, su estado no había hecho más que agravarse: la cirrosis anunciada meses atrás por el médico, se anunciaba con todos sus síntomas. Elisa sabía todo esto y no le daba importancia. *Utah es indefenso como un niño, pero yo lucharé por él hasta el fin.* Nadie, nadie se lo arrebataría.

—Antes me colgaré de un árbol — dijo.

* * *

Se sentaron en la primera mesa, frente a la barra adornada con exvotos y aleluyas. El taxista pidió un coñac con sifón. Su amigo un vaso de manzanilla. Elpidio se puso el delantal para servirles y volvió a su taburete del extremo de la barra. Cuando los hombres empezaron a hablar, aguzó inconscientemente el oído.

—¡Menudo viajecito, chico!...

—En fin, ya hemos llegado.

—Unos kilómetros más y no lo aguanto.

—Ni yo, a pesar de que no conducía. Esas malditas curvas...

—Hacía tiempo que no había bebido tanto.

—Ahora, mientras veníamos, me he entretenido en contar; lo menos, diez botellas.

—Diez botellas, entre tres, sale a más de tres litros de coñac por barba.

—Sí. A tres litros y cuarto, más o menos.

—¡Caray! Cuando pienso que el tipo ha bebido más que nosotros...

—Es una verdadera mula.

Su mujer apareció tras la cortina de la trastienda. Por la expresión trágica de su rostro, Elpidio comprendió que la tormenta no había amainado.

—Papá se niega a probar el pastel — dijo con voz lúgubre.

—Déjale en paz, mujer. Ya se lo comerá más tarde.

—Que no, Elpidio, que no; dice que no volverá a comer nunca.

—Cuando el hambre le apriete cambiará de opinión — repuso él —. ¿No ves que es como un niño?

Julia se dejó caer en el sillón de mimbre, al lado del pozo-bar.

Aunque sus ojos estaban perfectamente secos, los rozó con la esquina del pañuelo, como para enjugar alguna invisible lágrima.

—¡Es terrible! — suspiró —, ¡terrible!...

—La culpa la tienes tú, mujer. De las cosas más pequeñas haces en seguida una montaña.

—No me dirás que lo ocurrido es una tontería.

—Yo no te digo eso, mujer. Sólo quiero hacerte comprender que, desesperándote, no adelantarás nada.

—Cuando pienso en la cantidad de gente que había allí...

—Dale otra vez con el estribillo. Lo pasado, pasado...

—Es él quien me obliga a pensar — sollozó Julia —. Está furioso contra mí por haberle hecho ir. Dice que no me lo perdonará nunca.

—No le hagas caso.

—¡Oh! Creo que no me atreveré jamás a salir a la calle...

—La gente tiene otras cosas en qué pensar más importantes que este asunto.

—Si por un momento hubiese podido imaginar lo que ocurriría...

—¡Vamos, mujer; tampoco es tan grave!...

—Ese *Canario* maldito...

La pareja de suecos que jugaba a cartas en el rincón golpeó con la cucharilla en el vaso para pedir otros dos *whiskies*. Elpidio acudió a su mesa con la botella, el hielo y un sifón. Cansada de removerse en el asiento, Julia optó, finalmente, por irse.

Elpidio regresó a su taburete de la barra y llenó de tabaco la cazoleta de la pipa. Acodado junto a las rosas marchitas del florero se entretuvo en observar a los desconocidos de la primera mesa, mientras fingía clasificar la pila de albaranes que Julia había ya ordenado.

Los dos hombres habían interrumpido su charla y miraban atentamente la puerta. El taxista consultaba a cada momento la esfera del reloj. El otro, después de haber partido por la mitad media docena de palillos, hacía tabalear sus dedos gordezuelos sobre la esquina de la mesa.

—¿Qué hora es? — preguntó al cabo de un rato.

—Las siete y veinte.

—Se hace esperar el gachó.

—Mientras no se haya quedado a dormir en la escalera...

—Pues, no me extrañaría, mira lo que te digo. ¡Con la tajada que lleva encima!...

—A lo mejor su mujer le está abroncando.

—¡Ca! La pobre debe andar ya curada de sustos.

—De hecho es un tipo bien curioso. Con esa barbita de chivo tan estrafalaria... En mi vida me había reído tanto.

—Ni yo... Parecía que no se pudiera estar quieto un segundo.

—¿Recuerdas cuando le dijo al guardia que el coñac estaba envenenado?

—¿Y cuándo se puso a tomar el pelo al chico?

—Usted es un elemento sin representación alguna — parodió el taxista.

—Don Julio lo ha enviado a usted a soliviantar los ánimos.

—Pues que no le pase nada, amigo.

—Eso, que no le pase nada.

Los dos hombres rompieron a reír, felices y excitados.

Los suecos interrumpieron el juego y les observaron con atención. Pero su risa desapareció con la misma rapidez con que había llegado. El taxista la remató con un bostezo y consultó de nuevo la esfera del reloj.

—Hace lo menos media hora que está ahí arriba. No me explico por qué tarda tanto.

—A lo mejor es su costilla, que aún no ha acabado de vestirse.

—Pues no sé que se va a poner... Como no venga disfrazada...

Su compañero hizo sonar de nuevo los dedos contra el canto de la mesa. El taxista llenó su vaso de soda y lo bebió de un tirón.

Al fin, sin poderse aguantar, se levantó y aplastó su nariz contra la puerta.

—¿Qué?

—Nada.

—¿Y si subiéramos a ver?

—No. Aguarda un minuto.

El hombre volvió a sentarse y encendió un cigarrillo. Elpidio seguía sus movimientos con los ojos entornados. Desde la cocina oyó a su mujer preguntándole por el chico, pero hizo como si no la escuchara. La conversación de los dos hombres barajaba nombres y pormenores conocidos. Lleno de curiosidad, se preguntó a quién esperaban.

—¿Dónde dices que lo encontraste? — preguntó el joven.

—En la Granvía. Salía de Pasapoga.

—¿Iba sereno?

—No. Llevaba ya media tranca.

Hubo una pausa, durante la que los dos parecieron reflexionar. Progresivamente sus rostros se ensombrecieron. Sus ojos escudriñaron el Paseo con inquietud indisimulada.

—Por allí... Me parece que viene alguien.

—No. Es un piernas.

—Aquel no. El de detrás.

—No lo veo.

—El que lleva del brazo a la chavala...

Como movidos por un mismo resorte, se incorporaron a la vez en sus asientos, pero volvieron a ocuparlos en seguida con visible desencanto. Casi al mismo tiempo, el reloj de la parroquia dio la media. Desde el rincón, los suecos pidieron un tercer *whisky*. Imperceptiblemente, la atmósfera se hizo aún más tensa.

—Pues tendría gracia que nos hubiese dado el pego — dijo al fin el taxista.

—¿Tú crees?

—Yo no creo ni dejo de creer. Sólo digo que tendría mucha gracia.

Elpidio sirvió el *whisky* a los suecos. El taxista se levantó de la silla y se acodó al otro extremo de la barra.

—¿Qué sabemos de él, al fin y al cabo? Nada. Nos ha traído hasta aquí y nos ha dicho: esperadme un minuto e, ¡imbéciles de nosotros!, hemos mordido el gancho.

El cigarrillo que sostenía entre los dedos fue proyectado con violencia hacia la puerta. Su compañero arrojó también el suyo y se incorporó, blanco como el mármol.

—¿Será posible? — balbuceó.

El taxista no le prestó ninguna atención. Volviéndose bruscamente hacia Elpidio, le hizo una seña con la mano.

—¿Yo?

—Sí. Venga usted un momento.

Elpidio guardó las facturas en el cajón. Después de vaciar el tabaco de su pipa, se aproximó hacia ellos con gran calma.

—¿Conoce usted por casualidad a un señor con una barbita que vive en el piso de arriba?

Aunque Elpidio aguardaba la pregunta, su rostro no expresó ningún sobresalto.

—No — dijo —. En el piso de arriba no vive absolutamente nadie.

Hubo una pausa brevísima, durante la que los dos hombres cambiaron entre sí una mirada.

—Bueno, no sé si es en ésta o en la del lado...

—Ni en ésta, ni en la del lado, ni en ninguna de los alrededores, vive ningún señor con una barbita.

Los hombres le observaron visiblemente confusos. Contrastando con la palidez del más joven, el rostro del taxista parecía más congestionado todavía. Elpidio aguardó dolosamente unos segundos antes de añadir:

—Conozco a uno, pero no vive en esta calle.

—¿A un tipo de unos cuarenta años, con barba de chivo?

—A un tipo de unos cuarenta años, con barba de chivo.

—¿Uno que tiene los ojos azules y las cejas en punta?

—Uno que tiene los ojos azules y las cejas en punta.

—Oiga... — un ligero temblor afectó de pronto la voz del taxista y sus taimados ojos negros cobijaron un brillo de esperanza —. ¿Podría decirnos dónde vive?

—Aguarden un momento.

Elpidio se dirigió al cajón, sin apresurarse, y regresó con un fajo ordenado de facturas.

—El señor que ustedes buscan vive en el número catorce de la calle Buenaire.

—¿Cómo dice usted?

Elpidio sacó la grapa que unía los papeles y alargó la factura al taxista.

—Señor Utah. Número catorce, calle Buenaire.

Los dos hombres se inclinaron sobre el papel con semblante ávido.

—Lean, lean — dijo bonachonamente Elpidio.

Con una sonrisa dejó que los desconocidos devoraran el contenido del papel y, afectando una gran calma, volvió a llenar de tabaco la cazoleta de la pipa. El silencio se llenó de una respiración entrecortada.

—¿Qué diablo significa todo eso? — barbotó el más joven.

La lumbre estaba en el brocal del pozo-bar. Elpidio fue a buscarla y regresó canturreando.

—Ya lo ve usted. Una factura con sus deudas desde hace nueve meses.

El taxista le dirigió una mirada de agonía: lo ocurrido parecía verdaderamente superior a sus fuerzas; sus ojillos telegrafiaban mensajes de pánico.

—Entonces, cree usted que...

—Yo no creo — dijo Elpidio —, yo afirmo que, si les debe a ustedes algún dinero, no se lo devolverá, por la sencilla razón de que dicho señor no tiene nada —. Elpidio se llevó las manos a los bolsillos y los vació con ademán expresivo —: Absolutamente nada.

—Pero esto es una estafa incalificable — exclamó el joven, lleno de ira.

—Sí, señor. Esa es la palabra: una estafa.

—Hemos venido en taxi desde Madrid: más de quinientos kilómetros, al precio que está la gasolina, y ahora resulta que el tipejo ese...

—Lo siento por ustedes, pero prefiero advertirles, desde ahora, que será mejor que empiecen a despedirse de la idea de recobrar un solo chavo.

—¡Lo mataré!... — balbuceó congestionado el taxista —. ¿Dónde dice usted que vive?... Por mi madre santa que voy a cargármelo.

—¡Calma, calma! —le interrumpió Elpidio —. No se precipite. Procure guardar usted la sangre fría, porque le va a ser muy necesaria.

Luego, volviéndose a su compañero, murmuró:

—Aguárdeme usted un momento mientras me cambio. Yo mismo me encargaré de acompañarles.

Elpidio fue a la trastienda a prevenir a su mujer. Regresó en seguida con la chaqueta nueva y subió en el taxi.

—Tire usted a la derecha, por la calle Mayor. Hay que denunciar inmediatamente el hecho a la policía.

* * *

A la vuelta de la procesión, doña Carmen y las damas de la Junta se dirigieron al Casino Recreativo donde, momentos antes, había dado comienzo el tradicional Baile de Gala. Fundado medio siglo atrás, el Casino era una agrupación restringida que no ponía demasiado empeño en renovarse. Sus fiestas tenían un gran arraigo entre las viejas familias del barrio indiano, y en ellas se daban cita las personas más influyentes de la sociedad de Las Caldas. Contrariamente a las boleras y a las *boites,* que desde hacía tiempo proliferaban como setas, procuraba alejar de sus salones a los turistas, a los veraneantes y a los advenedizos.

Su decoración tampoco había variado con los años. Doña Carmen lo comprobó al entrar con una satisfacción mal disimulada. En el Casino, una se sentía como en su casa, sabiendo que las viejas cosas queridas permanecían en su sitio. El personal le era familiar también y doña Carmen lo conocía desde niña. Allí estaba el bueno de Quim, con el mismo uniforme negro de hacía tantos años, siempre tan servicial y respetuoso para ella y sus amigas. Y los camareros que, al verla, la custodiaban amablemente hasta la mesa que le tenían reservada.

El enorme salón estaba lleno de gente conocida. Como los otros años, la orquesta ocupaba un pequeño tablado cubierto por una alfombra roja, en el lugar donde se ponía la pantalla durante las sesiones cinematográficas. En el techo, las banderas, medialunas, faroles y serpentinas formaban una enramada policroma. Al lado de las puertas, los tiestos de cipreses cumplían su tradicional función de centinelas. El local estaba partido en dos mitades por un pequeño tramo de escaleras: una arriba, reservada a las familias; y otra abajo, donde la juventud bailaba.

Doña Carmen y sus amigas ocuparon una mesa privilegiada al lado de la escalera. Al darse cuenta de su llegada, don Julio se acercó a saludarlas. Quim se presentó en seguida con unos refrescos de limón. La orquesta atacaba un bailable de esos modernos (doña Carmen se había quejado un día de que cada vez se interpretaba más música de *negros* en lugar de valses o pasodobles), y, para hacerse oír, era preciso elevar la voz. Magdalena, Elvira y María Luisa observaban el baile en silencio. Florita no había llegado aún.

—¡La pobre tiene una jaqueca terrible! — explicó su hermana.

La animación iba aumentando progresivamente. La totalidad de las meses estaban ocupadas y mucha gente aguardaba de pie en el vestíbulo. Los que llegaban se acercaban a saludar a doña Carmen y la felicitaban por el brillante éxito de la mañana. Luego, la baraúnda se hizo endemoniada y los que hablaban tuvieron que recurrir a los gritos.

—He visto el Hogar. ¡Es estupendo!

—No creo que haya otro igual en toda Cataluña.

—Yo he estado allí, entre el público. Permítame que la felicite.

Doña Carmen sonreía. Después, alguien quiso saber lo ocurrido en el acto de imponer medallas a los viejos y la conversación giró en torno a la personalidad del *Canario* y sus hazañas.

—Yo creo que han tenido demasiada paciencia. Con su conducta...

—Lo de hoy sobrepasa todas las medidas — dijo Elvira —. Cuando le oí, os lo juro, no sé que le hubiese hecho...

—El individuo se ha llevado su merecido, no sé si se han dado ustedes cuenta.

—Pues es poco. Yo le hubiese molido hasta los huesos.

En aquel momento, el locutor anunció por el micrófono un baile robado. Los músicos de la orquesta aprovecharon la pausa para afinar sus instrumentos. El público prorrumpió en una estruendosa salva de aplausos.

—Hay gente que no se merece la suerte que tiene — dijo Regina cuando pudo hacerse oír —. ¿Sabéis ya lo de su nieto?

—No — dijo doña Carmen —. ¿Qué ocurre?

—Un chico muy bueno, muy calladito, no sé si le conocéis...

—Sí — intervino Elvira —. No sé quién me dijo una vez que era el primero de su clase.

—Pues bien: resulta que el chico tiene vocación y se va a hacer misionero e ir a África.

—No me digas — exclamó doña Carmen —. ¿Misionero?

—Sí. Su madre me lo ha dicho en la parroquia esta mañana. Por lo visto se lo traía muy callado y no lo contó hasta ayer, mientras comían.

—¡Oh, qué emoción!... — dijo Magdalena —. La pobre debe estar deshecha.

—Sí, ya se sabe, al comienzo duele siempre. Eso de tener que separarse de un hijo...

—Pero, ahora está entusiasmada. Dice que si es la voluntad de Dios...

—Cuando se tiene vocación para una cosa no hay que contrariarla — opinó don Julio.

—Eso es lo que he dicho yo. Me gustaría que la hubieseis visto: la pobre tenía los ojos llenos de lágrimas.

—Verdaderamente, Regina tiene razón — dijo doña Carmen —. El hombre no se merece esta familia.

—Yo, que conozco a sus dos hijas, puedo asegurártelo.

—¡Pues ya deben sufrir, las pobres! Con un padre así...

—El chico tiene también mucho mérito.

—La santidad florece en todas partes.

Mientras hablaban, Quim fue al encuentro de don Julio y le entregó un telegrama. Don Julio lo leyó y arrugó el ceño.

Luego, continuó charlando igual que antes, como para quitar importancia a la noticia, pero, según doña Carmen pudo darse cuenta en seguida, su voz resonaba algo forzada. Durante unos minutos se entretuvo discutiendo de mil asuntos, pero, al fin, la inquietud pareció ganar la partida.

—Ustedes me perdonarán — dijo levantándose —. Tengo que resolver una gestión.

Su marcha hizo disminuir sensiblemente el atractivo de la conversación. Doña Carmen leyó en el rostro de sus amigas una curiosidad preocupada.

—¿Qué debe haberle ocurrido? — dijo al fin Magdalena, formulando una pregunta que flotaba ya en el ambiente.

—Negocios, supongo — repuso doña Carmen.

—Pues yo más bien diría que es otra cosa — insinuó con voz reticente Elvira.

—¿Otra cosa? — quiso saber Regina —. ¿Qué cosa?

Elvira recorrió la sala con la mirada como para asegurarse de que nadie la escuchaba.

—¿Conocéis a la chica que da clases de inglés en la Academia?

—¿Aquella que lleva el pelo corto, cuñada de Santiago?

—Sí.

Todavía esperó unos segundos para excitar la curiosidad de sus compañeras. Conforme se imaginaba, la maniobra dio el fruto apetecido. Las amigas de doña Carmen la miraban con los ojos abiertos como platos. Satisfecha, se aclaró la garganta:

—Veréis... — dijo.

* * *

Después de entregar su mensaje a Atila, la existencia de Celia experimentó un cambio inesperado. El delgado muro invisible que la separaba del resto de los seres cayó como la piel de una serpiente y personas y cosas se ofrecieron a sus ojos bajo una luz nueva, despojadas de sus habituales antifaces. Por primera vez desde hacía mucho tiempo, no se sentía sola, aislada como una enferma. Alguien más fuerte que ella iba a asumir para siempre la entera responsabilidad de sus actos. El mundo ya no era un bloque cerrado y hostil frente al que debía debatirse sin ayuda. Ahora formaba parte de él: era como si de repente le hubiese tendido las manos.

Con la indefinible sensación de integrar el mundo y comulgar oscuramente con las cosas, Celia inició un recorrido por los lugares habituales. Después de haberla ignorado y como soportado durante largo tiempo, el pueblo parecía casi aguardarla. Brillantemente engalanado con motivo de la fiesta, sus lejanas banderitas desplegadas contra el cielo, daba la impresión de acogerla con alegría después de un largo destierro.

Celia vagabundeó por las colinas del lado del cementerio, recorrió el camino en donde Atila le había dirigido la palabra y bajó por la trocha a la caleta y todo le pareció igualmente distinto y atractivo en cuanto comprendió que, probablemente, nunca volvería a verlo. Sentada entre las rocas, en el mismo lugar que aquella mañana ocupaban los mendigos, esperó a que el sol se quitase detrás de las montañas. Entonces se puso de pie con la misma sensación de irrealidad y ligereza y, bajo un crepúsculo milagrosamente limpio, emprendió el regreso al pueblo.

La certeza de abandonar el lugar para siempre, la predisponía al perdón y al olvido. Celia repasó mentalmente la escena familiar de la comida, buscando una justificación a la conducta de Matilde y Santiago. Mirando las cosas con calma, sus hermanos no se habían mostrado gratuitamente odiosos como había podido suponer en un principio. Matilde, por ejemplo, era lo suficientemente ingenua para creer que una boda brillante podía hacer la felicidad de una muchacha y, al empujarla en brazos de don Julio, no había hecho más que aplicar su postulado a rajatabla.

En cuanto a Santiago, Celia tampoco podía despreciarle sin cometer una injusticia. El cargo que ocupaba en la empresa de don Julio explicaba un sinfín de cosas. Al ponerse de parte de Matilde, había tratado de asegurar el bienestar de que disfrutaba. Todo quedaba perfectamente claro y Celia estaba dispuesta a dar excusas. Al fin y al cabo, los dos habían obrado pensando en su bien y ella había defraudado sus esperanzas.

Pero, ahora que había escogido su propia vida, Celia podía dirigirse a ellos con toda libertad y explicarles las razones por las que se veía obligada a irse, con la certeza de ser comprendida. Al imaginar la escena que debía enfrentarles por última vez, la muchacha se sintió poseída de una súbita ternura. Matilde y Santiago dejaron de parecerle la pareja vulgar de aguafiestas que le exigía cuentas de todo y se convirtieron en dos compañeros de viaje, borrosos y lejanos, dos compañeros que pronto iba a dejar atrás y que olvidaría en seguida.

Celia se esforzó en recordar los momentos en que se habían mostrado buenos y cariñosos con ella, con olvido de todo lo restante, deseosa de forjarse una imagen amable de ellos, para el momento en que tuvieran que separarse.

Quedaba todavía por solventar la cuestión de don Julio, pero, a ese respecto, Celia no se sentía excesivamente preocupada. Como persona inteligente que era, don Julio sabría comprender que había perdido la partida. Enfrentado a un hecho consumado, no tendría más remedio que inclinarse. Para tranquilizar su conciencia, Celia decidió escribirle una carta después de su entrevista con Atila, explicándole las razones de su marcha.

Durante más de una hora vagabundeó por las calles que tan bien conocía, sin perder un solo segundo la sensación de irrealidad y de *distancia*, participando de la alegría de la fiesta, pero sin abandonarse a ella, con los ojos de una turista que se debe marchar al día siguiente y como íntimamente ajena a todo lo que pasaba.

La conciencia de ver las cosas por última vez, influía curiosamente sobre su ánimo y la determinaba a obrar de un modo que, en otras circunstancias, la hubiese llenado de sorpresa. Así, cuando oyó que la cobla interpretaba sardanas en la plaza, en lugar de alejarse de allí como otras veces, se detuvo a escuchar. El espectáculo había perdido para ella su aire acostumbrado y lo observó como quien lo ve por vez primera. Con la feria le ocurrió algo parecido. La había recorrido muchas veces llena de fastidio, pero, aquella tarde, la contempló con una emoción extraña. El recinto estaba poblado de gritos de chiquillos y ulular de sirenas, rugidos de altavoces y crepitar de disparos. Con una especie de nudo en la garganta, se despidió de los autos, del tiovivo, las barcas, la lotería y los puestos de tiro al blanco. Nunca, nunca más volvería a verlos. Y, sin poderlo evitar, sus ojos se inundaron de lágrimas.

Luego le tocó el turno a la iglesia y al Paseo, al barrio indiano y al Museo Romántico. Sus pasos la precedían sin obedecer a un rumbo fijo y ella se limitaba a seguirlos sin preocuparse demasiado. En la calle de Cuba tropezó con Juan de Dios y se despidió de él también. Pero el idiota parecía presa de un violento delirio y se limitó a repetir *Hoy es jueves* cuando ella le dirigió la palabra. Al fin, las ocho tocadas, se encaminó pausadamente hacia los jardines del Laberinto. La luna se había quitado tras un celaje de nubes y al acabarse los faroles, no se podía ver nada. Celia caminó por el bordillo de la acera, guiándose por el cuadrado negro de los alcorques. Aunque su corazón latía con violencia, su cabeza estaba clara. Sabía que no iba a ser fácil hacerse comprender por Atila, pero una fe ciega en sí misma le hacía desafiar los obstáculos.

Al llegar al Laberinto la luna reapareció tras las nubes y Celia lo consideró de buen presagio. A medida que se acercaba el momento, se sentía más firme y segura de sí. El jardín comenzaba con un haz de senderos estrechísimos, desiertos bajo la desmayada luz blanca. Celia se internó por el de la izquierda, acompañada por el crujir de la gravilla. Faltaban aún cinco minutos para la cita, pero el pequeño resplandor de una colilla le advirtió que Atila ya había llegado.

Entonces el corazón de Celia le dio un vuelco y, sin poder aguantar más, corrió hacia él, sollozando.

* * *

La propiedad de don Julio quedaba algo alejada. Para llegar a ella era preciso remontar una pendiente escalonada que conducía al depósito de aguas del pueblo. Esta pendiente estaba bordeada por un muro de dos metros de alto, con una puerta de hierro en el centro. Al empujarla se entraba en una frondosa alameda de eucaliptos. La casa se alzaba al final de la alameda señalada en la noche por un globo encendido.

Conforme habían quedado, Heredia les aguardaba en la entrada. Don Julio no le había dado la llave de la casa, pero Atila tenía una copia del cerrajero, según molde hecho por el gitano.

—Tú quédate aquí, vigilando — le dijo —. Si pasa algo, avísanos con un silbido. Nosotros dejaremos la ventana abierta.

Atila se adentró en la alameda, seguido de Pablo. La oscuridad era tan intensa que tuvieron que caminar poco a poco. De vez en cuando, la luna dibujaba sobre la garva tatuajes de un color gris mortecino. El suelo era como un uniforme de camuflaje, salpicado de harapos de luz. Pablo sentía a su lado la respiración honda de su amigo. El sendero estaba cubierto de hojas que crujían bajo sus pasos. El farol de la entrada se presentía apenas, tras el espeso ramaje de los eucaliptos.

Sin darse cuenta, desembocaron en el jardín. La casa era un enorme edificio de tres plantas de descolorido color rojo. Su fachada desaparecía casi bajo la voracidad tentacular de una enredadera. Sus ventanas eran inmensas y tenían las persianas cerradas. La puerta estaba protegida por una marquesina de pizarra de la que pendía el globo. Al pie de la escalera, dos tiestos marchitos de geranios absorbían su luz amarillenta.

—Espera.

Atila subió los escalones de puntillas e introdujo la llave en la cerradura. Previamente, se había envuelto la mano con un pañuelo. Durante unos segundos forcejeó sin hacer ruido. De pronto, la puerta cedió con una facilidad inesperada.

—Sube, rápido.

Pablo le siguió, reteniendo el aliento. En un santiamén se encontró dentro de la casa. Allí había una gran oscuridad mitigada por el reflejo del globo de la puerta. Un soplo de aire hizo vibrar las cuentas de vidrio de la lámpara. Atila buscó en vano el interruptor de la luz. Al no hallarlo, avanzaron por el vestíbulo a tientas.

—¿Por dónde está?

—Creo que por ahí.

Atila encendió al fin una cerilla. Inmediatamente la habitación se llenó de sombras inquietantes, como aleteos de mariposas gigantescas. La cómoda, el arcón, el bargueño, recuperaron el lugar preciso en la mente de Pablo. El espejo reprodujo sus ademanes rodeándolos de misterio. Un ratón diminuto huyó en dirección a la escalera.

—Ven.

Pasado el primer momento de temor, se sentía lleno de actividad. La puerta del despacho estaba cerrada. Pablo la abrió y encendió la luz. El fuego ardía aún en la chimenea. Dirigiéndose a la mesa del despacho, enseñó a Atila la caja de caudales. Su amigo bajó la cortina del alzapaños y abrió la ventana de par en par. Luego se arrodilló frente a la caja con el manojo de palanquetas.

—Tú mira por los cajones.

Pablo le obedeció.

—No te saques los guantes, imbécil.

Se los volvió a poner. El corazón le latía menos de lo previsto y poco a poco recuperaba de nuevo la calma. Los cajones del escritorio estaban abiertos. Papeles, documentos, recibos de la Compañía, lo revisaba todo con minuciosidad. En uno de ellos encontró un sobre con la fotografía de una mujer. La foto, obscurecida por los años, tenía una dedicatoria en el reverso.

—Fíjate lo que he encontrado. El tipo debía tener una queridonga.

Atila no se volvió. Arrodillado en la alfombra seguía manipulando las llaves. Pablo metió la foto en el sobre y continuó sus pesquisas. El mueble, como la habitación, estaba impregnado de su olor: un olor desagradable, mortificante, mezcla de tabaco pasado y husmo de tocino.

«*Elpidio es un hombre de pro y no quiso ensuciarse las manos.*» Sin poderlo evitar, acudían a su memoria jirones de la conversación de la víspera. Pablo había tenido la precaución de ponerse unos guantes. El muy imbécil estaba muy lejos de sospechar que su hijo tampoco se las mancharía.

La idea le llenó de excitación y sintió deseos de reír como un niño. Arrodillado frente a la caja, Atila respiraba trabajosamente. Sin verle, Pablo dedujo que sudaba. Siempre que deseaba algo con intensidad su frente se perlaba de sudor y sus ojos adquirían un extraño brillo.

—¿No se abre?

—No.

—¿Quieres que pruebe yo?

—Espera. Aún no he acabado.

Atila contestaba de prisa, furioso de que le interrumpiera. Pablo le observó con atención: *Atila y él en casa de don Julio.* A fuerza de imaginada, la escena le parecía casi irreal. Aquella noche, sin embargo, los dos tendrían dinero y celebrarían el éxito en cualquier tasca. Juana estaría con ellos y podrían hacer planes. Pablo quería largarse en seguida del pueblo. Pero Atila tenía razón al decir que debían quedarse algún tiempo en Las Caldas.

—Si no, sospecharían inmediatamente de nosotros.

Cuando el revuelo provocado por el hecho hubiese amainado un poco, desaparecerían un buen día sin avisar. Entonces, ya no volverían a oír hablar más del instituto, del garaje y de la escuela. Los tres se despedirían para siempre de su vida anterior. Y cuando sus padres fuesen a dar cuenta a la Policía, sería demasiado tarde: Atila, Juana y él habrían cruzado ya la frontera.

—¿Tú crees que Juana se decidirá a...?—comenzó.

Pero se detuvo a la mitad porque, en aquel momento, al levantar la tapa de una caja de habanos, descubrió que estaba llena de billetes, y el corazón, que hasta entonces se había mantenido mansamente

en su sitio, empezó a martillear salvajemente en su
pecho. Pablo deslizó la lengua por sus labios: se había
quedado sin saliva y su garganta era como de caucho.

Aturdido, fue sacando uno a uno los fajos de mil.
Los billetes, nuevecitos, resultaban agradables a la
vista. Una vez hubo amontonado los fajos en la car-
peta, empezó a contar el número de billetes de cada
uno de ellos e hizo la multiplicación. Si su aritmética
no fallaba, la caja contenía ochenta mil pesetas.

—Atila...

Aquella vez, su amigo se volvió. Pablo se inclinó
sobre la mesa jadeando y le enseñó uno a uno los
fajos de billetes. Atila le contempló pálido de emoción. El sudor formaba dos ruedos húmedos en el lugar de sus axilas, y sus ojos, de enamorado casi, brillaban como dos cristales negros.

—¡Caray!... — murmuró con voz extraña —. Debe
ser... Creo que...

Al fin se decidió y acarició los billetes. El manojo
de llaves que sostenía en una mano se deslizó mansamente al suelo.

—¿Dónde?... ¿En qué sitio?

La alegría transfiguró finalmente la expresión de
su cara y Pablo sintió en su espalda la presión brutal
de sus brazos y en su mejilla, el áspero roce de sus
besos.

—¡Es nuestro!... ¡Ya lo tenemos, Pablo!... ¡Es
nuestro!...

Y entonces, cada uno por su lado, bailaron una
danza grotesca, blandiendo histéricamente los fajos de
billetes, olvidándose de todas las precauciones, como
dos chicos excitados un día de verbena.

—¡Nuestro!... ¡Nuestro!...

Cuando se dieron cuenta era demasiado tarde. La
orden había pasado inadvertida en medio de la con-

fusión de sus voces y don Julio tuvo que repetirla:

—He dicho que manos arriba...

Su presencia destruyó inmediatamente el encanto. Durante unos segundos, los dos giraron sobre sí mismos, impulsados aún por la inercia.

El espejo reflejó sus movimientos en una parodia cruel de su alegría. Pablo contemplaba el revólver de don Julio sin poder creer aún en la realidad de la escena.

—Déjese usted de bromas o disparo.

La mano que Atila alargaba hacia el pisapapeles de la mesa retrocedió de nuevo.

—Den ustedes dos pasos atrás.

Tras un instante de vacilación, los dos obedecieron al mismo tiempo.

—Nadie les ha dado permiso para volverse.

Don Julio se expresaba con voz seca, casi inhumana:

—Usted, Pablo, acérquese a la mesa del despacho.

Pablo sintió que su cuerpo obedecía tirado por unos hilos invisibles, como una marioneta.

—Coja usted los billetes y métalos en la caja.

Lo hizo, con cierta dificultad, a causa del temblor de los dedos.

—Ahora, vuélvala a guardar en el lugar en que estaba.

Pablo le obedeció una vez más. Su frente chorreaba de sudor. Tenía la sensación de representar una comedia.

—Vuelva junto a su compañero, ahora.

Atila estaba en el centro de la habitación con los brazos en alto, y por el estrabismo animal de su mirada, Pablo comprendió que ocurría algo. Desafiando su propio miedo, se volvió.

Lo que sucedió entonces fue tan rápido que no le

dio tiempo a intervenir. Heredia, el gitano, atacó por
la espalda a don Julio y le hizo soltar el arma con
que les apuntaba. Al mismo tiempo, Atila se abalanzó
con una navaja y se la hundió varias veces en el
pecho.

Don Julio se había vuelto a mirar atrás y se derrumbó como un muñeco. Las manos que se había
llevado al corazón se abrieron poco a poco sobre la alfombra. Y las manchas de sangre de la camisa, em-
paparon también la chaqueta y empezaron a gotear
por el suelo.

Hubo un momento de silencio, durante el cual los
tres se miraron jadeantes, como borrachos. Luego, sus
miradas convergieron de nuevo en el cuerpo.

—Nos lo hemos cargado —dijo Atila, con voz ronca—. Está muerto.

Hincó la rodilla en la alfombra y le auscultó el
corazón. Al incorporarse, su mejilla estaba manchada
de sangre. Heredia miraba el bulto como hipnotizado: su pecho se agitaba como un fuelle.

—El payo ha venío de pronto y ha entrao directo
pa dentro. Yo no sabía qué hacer...

—Podías habernos avisado —observó rencorosamen-
te Atila.

—Pues ya he silbao... Después, al no oír ningún
ruido, me vine hacia la puerta.

La mancha de la alfombra se extendía con rapidez. El reloj del vestíbulo les sobresaltó al dar la
hora. Los últimos tizones moribundos se consumían
lentamente en la chimenea.

—Yo me najo —dijo el gitano, mirándoles casi con
odio.

—Espera. No pierdas la cabeza.

Su voz pareció devolverle la sangre fría. Heredia se
cruzó de brazos y permaneció donde estaba. Atila, en-

tonces, envolvió la navaja con un pañuelo y se la
metió en el bolsillo. Sus manos, como las de Pablo,
no habían dejado ninguna huella. Después de asegurarse de que todo estaba en orden, abrió el cajón del
despacho, sacó la caja con los billetes y se la enseñó
al gitano.

—Tenemos el dinero, ¿comprendes? Si no perde-
mos la chaveta no pasará nada. Tú, vete a la calle
a que te vean. Nosotros saltamos la tapia por detrás
y antes de irnos forzaremos la ventana. Sobre todo,
acuérdate bien: no hemos entrado por la puerta.
Cuando te pregunten di que el tipo volvió de repente
y que no te dijo nada. El domingo, cuando nos veamos, te daré la parte que te toca. Ahora, Pablo y yo
nos vamos a la Bodega.

* * *

Al salir de casa, Utah acabó de beber el coñac de
la botella. Las ideas que de vez en cuando rozaban
su cerebro le llenaban de espanto. Ardientemente, deseaba no pensar en nada. Todo lo dicho y hecho durante los últimos días le parecía producto de un *acuerdo previo:* una divertida sucesión de malentendidos
que podía acabar de una vez con un simple movimiento de la mano.

Mientras remontaba la calle de Cuba, buscó la
reveladora señal de algún director de escena. «Basta,
el juego ha terminado», diría saliendo de uno de los
portales, «eres un actor magnífico», y la gente oculta
tras las persianas y celosías se asomaría a aplaudir su
actuación, y los niños y niñas amigos de Luz Divina
le ceñirían una corona de laurel en la cabeza.

Utah estaba seguro de que aquél iba a ser el final.
Entre tanto, la calle guardaba un discreto silencio.

Los vecinos habían puesto banderas y colgaduras en
los balcones, pero permanecían agazapados en sus casas. En la plazuela había un arco de triunfo, levantado sin duda en su honor. Al pasar debajo, Utah
saludó. Desde que había dejado a Elisa, tenía la impresión de caminar por el aire, como en sueños.

A veces, el miedo reaparecía. El recuerdo de la
deuda contraída con los taxistas rondaba su cabeza
con obsesiva frecuencia. Para exorcizarlo, Utah se
veía obligado a divagar: después de charlar con él,
don Julio comprendería sus razones y le adelantaría
la suma de dinero necesaria; a aquellas horas había
olvidado ya su travesura de enviarle un telegrama fir-
mado por Celia; Utah le explicaría que lo había hecho tan sólo para obligarle a ir a la cita y, al enterarse, el viejo celebraría su astucia de buena gana.

Pero, después de haberle dejado hacer planes sobre el abrigo de su mujer y la bicicleta de Luz Divina, el miedo se insinuaba de nuevo, susurrándole a
la oreja que don Julio no iba a pagar, que hiciera
lo que hiciese, no iba a soltar un chavo. Utah cedió
unos instantes a la desesperación. En aquel caso era
hombre al agua.

—Si no me presta, le mataré.

La formulación de su propósito en medio de la
calle silenciosa, adornada con los despojos de la fiesta,
le devolvió la tranquilidad. El dinero que su padre
le había negado era necesario para el sustento de su
mujer y Luz Divina. Por tanto, debía luchar hasta
conseguirlo. Aunque para ello tuviese que ejecutar su
amenaza.

—Cogeré un cortapapeles y le rajaré de arriba a
abajo. Luego, vaciaré el serrín en un saco y meteré
su pellejo dentro.

Su mente se llenó entonces de escalofriantes imágenes de guiñol. Don Julio tenía la cara lisa, lo mismo que un muñeco. Sin saber bien por qué, estaba seguro de que bastaría hacerle una pequeña incisión para que se deshinchara de repente, como un balón lleno de aire. Utah no le daría tiempo a gritar: su sangre se derramaría por el suelo y formaría pequeñas islas, verdosas como líquenes. Luego se acordó de la conversación del regreso y añadió:

—Además, Johnny ha prometido ayudarme.

Dos mujeres atravesaron la calzada charlando. Prudentemente Utah se ocultó tras un alcorque de adelfas. Aguardó a que pasaran y reanudó su marcha de puntillas. A medida que se alejaba del centro, las calles se volvían más silenciosas. El barrio indiano dormía su sueño habitual, ajeno a la alegría enfebrecida de la feria. De vez en cuando, el viento traía hasta allí la música chillona de los autochoques y las obscuras ramas de las adelfas se estremecían llenas de vida.

—Sin testigos. Sin testigos.

Caminó buscando las sombras, hurtándose a la desmayada claridad de la luna. En aquel momento, lamentaba haber dejado a Johnny. Al enfrentarse con don Julio, le hubiese podido prestar ayuda. Pero no, divagaba: Johnny era también un acreedor; pertenecía al bando de los enemigos.

Cuando se dio cuenta, se encontró subiendo las escaleras de la avenida que conducía al depósito de aguas. La cuesta estaba mal alumbrada por media docena de faroles. Entre tramo y tramo, el viento había acumulado gigantescos montones de hojarasca.

Utah empujó la puerta procurando no hacer ruido. Aunque la cabeza le daba vueltas, encontró en seguida el timbre. Sin esperar, se adentró resueltamente por el bosque. Durante unos minutos anduvo medio perdido. Luego, la casa pareció surgir de pronto, silenciosa en medio de la caótica orquestación de las ranas.

La puerta estaba abierta de par en par y el globo, encendido. Utah atravesó el jardín a hurtadillas, contagiado por la quietud casi mágica. Al subir los escalones tuvo que hacer un esfuerzo: las buganvilias tendían hacia él sus tallos inmóviles. Súbitamente comprendió que *todo* le aguardaba.

En el portal no había nadie. Utah contempló, reteniendo el aliento, el vestíbulo, bañado por la mezquina luz del globo.

—¿Hay alguien? —preguntó.

No obtuvo contestación y el silencio se pobló otra vez de ruidos nocturnos del jardín.

—¿Puedo pasar? —preguntó casi en un susurro.

Y aquella vez no hubo siquiera eco. Sólo el rumor de las ranas.

Utah entró de puntillas en el vestíbulo, guiándose por la dudosa luz del farol. Allí también los candelabros le tendían sus brazos retorcidos y parecían aguardarle.

—Ya voy, ya voy —murmuró.

La casa continuaba sumida en su letargo, pero un algo impreciso en el ambiente, semejante a la respiración del que duerme, revelaba que *vivía.* Los signos continuaban manifestándose, como encarnizándose en su pérdida: la complicidad de la alfombra acolchaba la vibración de sus pasos; enfrentado a una encrucijada de puertas, la de la izquierda se abrió, empujada por la brisa.

Casi a pesar suyo, Utah entró. La habitación tenía las luces apagadas, pero, a través de la ventana abierta, penetraba la luz de la luna. El viento había hecho volar los papeles de la mesa y agitaba el paño obscuro de los pesados cortinajes.

Don Julio yacía en medio de la alfombra, el rostro rígido como una mascarilla. Sus brazos se extendían siguiendo la línea del cuerpo y sus piernas estaban dobladas y como encogidas. En su pecho, sobre la camisa, había una gran mancha obscura. Utah se arrodilló fascinado. La sangre que señalaba la herida le atraía. Sin dar todavía crédito a lo ocurrido, aproximó lentamente las manos.

Asesino.

La palabra acudió a su mente de improviso y Utah miró en torno suyo lleno de estupor. La efigie redonda de la luna se asomaba por la ventana, burlona como un testigo, y, al incorporarse para correr las cortinas, comprendió que había caído en la trampa. Su movimiento equivalía a una tácita confesión e infinidad de voces se elevaron para acusarle. El jardín entero penetró en tromba en la habitación, proclamando su crimen a gritos. Los eucaliptos, las palmeras, el magnolio, despertaron bruscamente de su ensueño y apuntaron con una alegría maligna sus manos manchadas de sangre.

Utah permaneció unos segundos inmóvil, abrumado por el sordo clamor de los árboles. La habitación estaba como hechizada bajo el frío maleficio de la luna. Las cortinas se convulsionaban mecidas por el viento. Lleno de angustia, ocupó su lugar junto al cadáver. La causa no podía ser más que una: pese a sus amenazas de muerte, don Julio no había querido darle el dinero.

—Johnny —imploró.

Pero, después de prometerle ayuda cien veces, el taxista le había dejado en la estacada. Utah acechó el vestíbulo con la garganta reseca. En la casa no había un alma.

—Elisa.

Su mujer tampoco estaba allí. Utah se puso de pie
y limpió sus manos en el abrigo. La ventana era como
la boca de un escenario desde el que se sentía espiado.
El viejo actor de todas sus comedias pareció despertar de pronto. Transformado en Reina Loca, sus ademanes se llenaron de sigilo.

—¡Chist!... El rey duerme.

Con el índice en los labios avanzó sobre la claridad lunar de la alfombra, en medio de la asombrada
aflicción de las cortesanas invisibles.

—No le despertéis...

La escena debía desarrollarse con naturalidad. Utah
se sabía acechado por la mirada implacable de docenas de testigos.

—El rey duerme.

Al fin alcanzó la puerta y salió al recibidor. Allí
no había necesidad de fingir: el globo amarillo de
la entrada destruía todo el hechizo. Nerviosamente,
miró el reloj.

—Tengo que huir de aquí —dijo.

* * *

El plan elaborado por Atila era muy simple y
Heredia se lo sabía al pie de la letra. Al ser interrogado, el gitano debía declarar que don Julio se presentó de improviso mientras hacía la ronda por la
calle. Como en muchas ocasiones venía también a
deshora, su llegada no le había causado sorpresa. Sus
sospechas surgieron media hora más tarde cuando,
al dar la vuelta a la propiedad, encontró la escalera
del jardinero sobresaliendo del otro lado de la tapia.
Heredia debía explicar que, entonces, fue a inspeccio-
nar el jardín y, al pasar frente a la casa, descubrió la
puerta entreabierta. Como quiera que don Julio no

estaba allí ni respondía a sus llamadas, se decidió a entrar y, hallándole muerto, había avisado inmediatamente al cuartelillo por teléfono. Para eso último, Heredia debía esperar a que el reloj de la parroquia diese las nueve y media.

Pero, al llegar el momento de ejecutar lo proyectado, sobrevino un extraño incidente. Cuando volvía a adosar la escalera a la tapia, Utah entró de improviso en el jardín haciendo eses. Heredia permaneció unos segundos sin saber qué hacer: el descubrimiento del crimen por el pintor arruinaba por segunda vez sus planes. Por un instante, lamentó su indecisión al no salirle al paso: su ausencia podía ser sospechosa a ojos del juez. Pero, pensándolo mejor, Utah podía ser un magnífico culpable si se le empleaba de un modo conveniente. Para ello no tenía más que abordarle cuando saliese a avisar a los civiles y explicar al juez que estaba de ronda en el momento en que había llegado.

Heredia aguardó en la calle fumando un cigarrillo. Un hombre atravesó la glorieta despacio e hizo sonar fuerte el chuzo para que le oyese. Por desgracia, las calles estaban casi vacías: la falta de testigos dificultaba su coartada. Durante unos minutos, subió y bajó los escalones de la avenida picando fuerte. En uno de los chalets de la glorieta descubrió, con alivio, una ventana iluminada.

Consultó su reloj: Utah no podía tardar. El cigarrillo se le había consumido y encendió otro. Al hacerlo observó que el pulso le temblaba. Debía serenarse: como Atila había dicho, no *podían* perder la cabeza. Lo de don Julio había sido inevitable. Heredia se había dado cuenta en seguida. El viejo le observaba con sospecha. Conociendo su amistad con Atila, inmediatamente lo hubiera relacionado. No hubo otro remedio que obrar así. Heredia envidió la suerte de sus compañeros: Atila y el otro podían irse tranquilamente a su casa: pero él debía permanecer allí, solo, interrogado mañana y tarde, aguantando mecha.

Utah seguía sin aparecer. Desde su llegada habían transcurrido más de veinte minutos. El gitano se cruzó de brazos. El tipo podía quedarse dentro el tiempo que quisiera. Allá él cuando tuviera que justificarlo. Vistas las cosas con calma, su llegada había sido providencial. Las sospechas que de otro modo hubiesen apuntado a él, se desviarían hacia Utah de un modo automático.

Aunque privado de la ayuda de Atila, su mente barajaba infinidad de proyectos. Heredia podía, por ejemplo, ir a la casa y sorprenderlo en la habitación de don Julio. El gitano analizó el supuesto con calma. De ese modo, él quedaría al margen de toda sospecha. Pero antes era preciso ir al jardín y retirar la escalera de la tapia.

La brusca aparición del pintor por la puerta no le dio tiempo de actuar. Utah no parecía afectado como él creía y, al verle, experimentó más bien sobresalto. Pero en seguida se recobró y le saludó con una sonrisa.

—¿Cómo está usted, mi querido amigo? — El pintor fue a su encuentro y le dio unos golpecitos en la espalda—. Yo, ya lo ve usted, paseando...

Su aliento olía a coñac. El gitano observó que su abrigo tenía manchas de sangre. Utah pareció darse cuenta también y las cubrió hábilmente con la mano.

—En fin, no le quiero entretener. Pásese cualquier tarde por mi casa. Allí hablaremos con más calma.

Se alejó, con aire de excusa, haciendo burlonas reverencias. Heredia le dejó ir sin decir palabra. Utah se volvía de vez en cuando a saludar como un actor, echándole besos con la mano. Apoyado en el mojón de la entrada, aguardó a que se perdiera en la glorieta.

Entonces el gitano fue al jardín y guardó la escalera en el garaje; subió al primer piso de la casa y descolgó el receptor del teléfono.

—Central... Póngame con el uno nueve cinco.

Comunicada la noticia al cabo de guardia, salió a esperar a la calle. Aunque no tenía miedo, el corazón le latía con violencia. En aquellos momentos, los civiles andaban ya en busca de Utah. Cuando llegaran, Heredia debía limitarse a dar una explicación arreglada de lo ocurrido, procurando hacer recaer sobre él las sospechas.

Diez minutos después, amortiguado por la lejana musiquilla de la feria, se percibió el zumbido del motor. El ruido se fue haciendo más y más intenso y, de pronto, un automóvil obscuro asomó por la izquierda de la glorieta.

Bordeando los jardincillos del centro, el coche frenó al pie de la avenida e, inmediatamente, media docena de hombres empezaron a subir las escaleras. Heredia distinguió el tricornio de tres guardias civiles —el cabo y dos números—, así como al dueño del *Refugio* y dos hombres que jamás había visto.

—¿Don Julio Álvarez?

—Sí. Es aquí.

En pocas palabras, el gitano les historió lo sucedido. Al acabar, el cabo dijo:

—Todo eso lo tendrá que repetir usted cuando el señor juez se persone a levantar acta.

Los dos individuos de paisano se mantenían aparte, con el dueño del *Refugio*. De pronto, el más grueso se encaró con él y le agarró por la solapa.

—¿Dice usted que lo ha visto salir por aquí?

—Sí, señor —repuso el gitano.

—¿Hace mucho tiempo?

—No, señor. Pa unos veinte minutos...

—¿Y hacia dónde lo ha visto usted largarse?

—Por la derecha de la plazuela —señaló—, siguiendo la calle por donde ustedes han subío.

—Ven —dijo el hombre cogiendo a su compañero por el brazo—. Por mi madre santa que me lo cargo ahora mismo.

—Alto —dijo el cabo, interponiéndose—. Usted no hará nada sin el beneplácito de la autoridad.

—Ese tipo es un bandido, un estafador, un asesino... —dijo el hombre, atragantándose al pronunciar las últimas palabras.

—Cálmese —recomendó el cabo—. Nosotros estamos aquí representando a la autoridad y no podemos permitir de ningún modo que se le falte. Así que, serénese usted y aguarde.— Luego, volviéndose hacia Heredia, preguntó—: ¿Es cierto lo que ha dicho usted a ese señor?

—Sí, señor cabo.

—Bien, en este caso... —para reflexionar, el cabo se despojó del tricornio— en tanto no se persone el señor juez a practicar las diligencias, tu —dijo a uno de los números— hazte acompañar por el guarda al lugar del hecho y, caso de llegar el señor juez, le explicas lo acaecido. Nosotros —concluyó, dirigiéndose al otro y a los dos— iremos hacia el sitio que dice el testigo. Si vamos rápidos, todavía podremos alcanzarle.

* * *

Los niños se habían detenido frente al portal, reclamando a gritos la presencia de Utah. «Que-sal-ga-

U-tah... Que-salga-U-tah», y Utah se asomó al fin al balcón, con su viejo quimono de seda, sonriente en medio del fervor de los chiquillos. «Amados hijos míos»... La boquilla de ámbar le estorbaba y la entregó a Luz Divina. «Amados hijos de mi alma y de mis entrañas». Llevaba un fez de algodón con una media luna de plata cabalgada por una sirena e impuso silencio al auditorio con un ademán, reproducido teatralmente en la pared por la deslumbradora luz de las linternas. «De mis entrañas, sí, de mis entrañas, porque mi vientre es como el florido receptáculo del que el delicado girasol de mi ombligo es sólo un botón de muestra... (Voces de «¡Enséñalo, Utah, enséñalo!) Un botón pobre, pero fragante como un ramillete de flores... Un botón que, sin renegar de la humildad de su origen, os ama, os quiere, os mima y os querencia. (Voces de: «¡Enséñalo, Utah; enséñalo!) Pero —y mientras su mano izquierda se posaba en el corazón, había realizado con la derecha un inspirado movimiento—, ¿he de sacrificar ese ideal a la codiciosa avidez de unos pocos?, ¿he de permitir su perturbación por quienes, amparándose en privilegios fenecidos, intentan esquilmar al pueblo? (Gritos: «No, Utah, no».) Está bien. Vosotros tenéis la palabra. Mi justicia será la brújula laboriosa, no la balanza decrépita. (Voces de: «Bien, Utah. Adelante, Utah».) Enteraos, pues, de mi programa: violines e hidromiel para el pueblo; el reino del alhelí ha concluido; ahora, el sorbete, la espadaña, la siempreviva y el veneno». Una atronadora salva de aplausos canalizó la unánime aprobación de los reunidos. Obligado a saludar, Utah asomó de nuevo al balcón, con los azules ojos brillantes y las cejas disparadas hacia arriba, esbozando reverencias de payaso, cabriolas y fantasías; «preciosos, sois unos preciosos», al tiempo que repartía miradas cómplices y guiños picarescos, apretones de manos y sonrisas. «¡Utah, Utah!», vociferaban los niños. Y él había apartado al fin el quimono, el jersey, la pescadora y el calzoncillo: «He aquí mi flor. He aquí mi ombligo».

El eco de los últimos aplausos se diluyó poco a poco en el silencio, y Utah se encontró de nuevo en la calle obscura y vacía. La musiquilla de la feria sonaba a lo lejos, irreal en el dormido paisaje. Apoyado en la verja de un jardín, contempló la desierta glorieta, bañada por la aceitosa luz de las bombillas. Sin saber por qué, tenía la sensación de haber dejado atrás algo importante, relacionado con él y con don Julio. Un automóvil obscuro se detuvo a mitad de la plazuela. Y, entre los hombres que lo desocuparon, Utah reconoció, con el corazón palpitante, el inconfundible perfil de los taxistas.

Tenía que huir. La calle estaba aún sin urbanizar y caminó guiándose por la luz de la luna. A su izquierda había un enorme edificio silencioso. Al acercarse, descubrió que era la fachada trasera del Museo Ochocentista. En tal caso, para alejarse del pueblo, no tenía más que seguir aquel camino. La calle se convertía más lejos en un sendero de carro que conducía al barrio de La Salud y a las colinas cubiertas de carrasco, donde le sería fácil ocultarse. Para ello debía atravesar aún una pequeña zona iluminada. Más allá, podía caminar con la seguridad de no ser sorprendido.

Utah se acercó al límite del lugar iluminado, casi sin respirar. Le parecía que, al atravesarlo, iba a cumplir alguna prueba mágica, pasada la cual, sus enemigos abandonarían la partida. Oculto tras una mata de adelfas, estudió el terreno con calma. Varios chalets lindantes con la calle tenían las luces encendidas.

Para evitar cualquier celada decidió avanzar a salto de mata, amparándose en el espesor de las adelfas.

Pero, en el momento de dar el primer salto, se detuvo. Una sombra diminuta se había desprendido de uno de los alcorques; una sombra proyectada por una criatura de aspecto extraordinario. El niño llevaba un sombrero de rodeo y una chaquetilla de piel. Lleno de estupor, Utah descubrió dos fundas de revólver sobresaliendo de los bolsillos de su pantalón tejano.

—Hola, Utah —dijo—. ¿Qué hazez por ahí?

Él le contempló unos segundos, dudando de sus sentidos. Entre las sombras obscuras de las adelfas, el niño era como un duendecillo perverso. Su irrupción en aquel lugar solitario tenía algo de milagroso.

—¿No me conozez? —dijo todavía—. Zoy Pancho.

Por el ceceo más que por el nombre, Utah creyó recordar al fin; el chiquillo formaba parte del grupo de Luz Divina.

—Sí, claro.

—Vicky me dijo fue fueze a buzcar a Carlitoz, pero no eztá en zu caza.

Poco a poco se habían aproximado al farol. Allí el niño señaló acusadoramente su abrigo.

—¿Qué ez ezo?

—Sangre —repuso débilmente Utah.

Sin ninguna razón le había invadido de pronto un inmenso cansancio, como una náusea irreprimible hacia sí mismo.

—Acabo de cometer un crimen.

—¿Äh, zí? —dijo el niño—. ¿A quién haz matado?

—A don Julio Álvarez.

—Ayer Carlitoz y yo matamoz a máz de zien apachez...

El horror a sus propias mixtificaciones le causaba un malestar casi físico. Al caminar, Utah sintió que se le doblaban las rodillas.

—¿Y ahora? ¿Qué hazez?

—Me escapo.

—Bueno. Entonzez iré contigo.

Su memoria buscaba ansiosamente algo: el punto de arranque de la voraz telaraña que le envolvía. Estaba seguro de que, si daba con el comienzo, todo podría arreglarse.

—¿Dónde vaz? —preguntó el niño a su lado.

—Espera. Vamos a descansar un segundo.

Habían atravesado ya la peligrosa zona iluminada y se sentó junto a unas zarzas al borde del sendero. Pancho se acomodó también, gruñendo, después de sacar los revólveres de su bolsillo.

—Veamos.

Utah apoyó los codos en sus rodillas e hizo chascar las junturas de sus dedos. La verdad parecía acercarse, a veces, hasta ponerse al alcance de su mano, pero, por una causa o por otra, en el momento de quererla atrapar, se desvanecía. La historia de sus dos últimos días contenía evidentemente un error; un error que, por mucho que se esforzara en pensar no aparecía por ningún sitio.

—¿Qué hazez?

—Pienso.

—¿En qué pienzaz?

Inútilmente, repasó los acontecimientos de los últimos días: la entrevista con el padre, la limosna humillante de su hermano, su regreso a Las Caldas en taxi, la muerte de don Julio. En algún lugar, cerca de él, había una cuerda de salvación, pero, pese a sus desesperados intentos, sus manos no atinaban a alcanzarla.

Cuando se dio cuenta, el coche se había parado al final de la calle y Utah percibió como entre brumas la colérica voz de los taxistas.

—La polizía. La polizía —celebró Pancho, batiendo palmas.

Utah comenzó a jadear. La verdad rozaba otra vez su cerebro.

—Espera. Sólo un momento.

Pero la brusca intervención del niño hizo que se alejase:

—No, no, *vámonoz...*

Le obedeció. La orden, proferida con una dura vocecita, tuvo la virtud de atemorizarle.

—Por aquí.

Cogidos de la mano huyeron por un caminillo lateral, abierto entre una doble hilera de bardales, a lo largo de los campos de cultivo.

—Zon muchoz —dijo alegremente Pancho, volviéndose a mirar atrás.

La luna emergía sobre el teso de la colina. Bajo su luz, los huertecillos, avaramente cultivados por los hombres de las barracas, parecían desolados y como sin vida. El atajo subía hacia la carretera general sorteando el desnivel de los bancales. Allí, la tierra no respondía ya al esfuerzo del hombre y los hierbajos empezaban a devorar el camino.

El viento provocaba de vez en cuando remolinos de polvo. El monte se erizaba poco a poco de aulagas y de zarzas. De pronto, el niño le entregó uno de sus revólveres y se volvió a disparar con el suyo.

—¡Pum!... ¡Pum!... —dijo.

Utah caminaba igual que un sonámbulo. Desesperadamente, se esforzaba todavía en pensar. Como en una pesadilla se sentía aproximar cada vez más al borde de la sima, pero no podía impedirlo.

—¡Pum! ¡Pum!... He matado a doz —manifestó
Pancho, apuntando hacia atrás con su revólver.

La cuesta se hizo muy pronunciada. Los perseguidores se desplegaban en guerrilla, comunicándose por
medio de silbidos. Los haces de sus linternas acribi-
llaban el cielo a lanzadas. Probablemente les buscaban
aún por las huertas.

—¡Dizpara! ¡Dizpara!... —ordenó el niño.

Utah obedeció. La verdad volvía a asediarle de
nuevo. La cuerda estaba al alcance de su mano. Y, de
pronto, mientras se acercaban a un cartel enorme,
Chesterfield, la marca genuinamente americana, plantado entre unas estepas, un potente foco de luz les
alcanzó de lleno, deslumbrándoles, como a dos mariposas nocturnas. La luz se corrió en seguida a la derecha, como un inmenso brochazo blanco. Luego, desapareció con la misma rapidez con que se había presentado y Utah oyó el chirrido de unos neumáticos
dando la vuelta a la curva.

Inmediatamente, los gritos de los perseguidores se
acrecentaron. Los faros del auto les habían puesto sobre la pista. Varias voces se elevaron a la vez dándoles
el alto. Alguien disparó al aire con una carabina.

El recuerdo comenzaba a abrirse paso en su mente
enfebrecida. Todo era un error. Don Julio estaba
muerto cuando él llegó. Pese a sus amenazas, a la
sangre que manchaba sus manos, no era un asesino.

Su frente se había empapado en sudor. Las sienes
le punzaban. Lleno de angustia se volvió a mirar hacia atrás.

Necesitaba una tregua. El tiempo de reflexionar
unos segundos.

—Corre —acució a su lado el niño.

Bajo las anchas alas de su sombrero, Pancho era
como un geniecillo maléfico.

—No he sido yo —balbuceó Utah—. No lo he matado yo...

El chiquillo disparaba sin cesar, lanzando gritos de alegría.

—No vale, no vale... *Haz zido tú...* Tú mizmo lo haz dicho.

Utah inclinó la cabeza, derrotado. Sus últimas esperanzas se derrumbaban de un golpe.

—Sí, yo mismo te lo he dicho.

El paisaje entero era como una trampa gigantesca. Cogidos de la mano emprendieron de nuevo la marcha. Pero ahora habían sido localizados ya por el haz de las linternas y Utah oía cada vez más fuertes las apremiantes voces de alto. El niño, a su lado, reía lleno de júbilo. No había forma de retroceder. El *no vale, no vale,* resonaba todavía en sus oídos. Empuñando el revólver de juguete, se abandonó a su destino, resignado.

* * *

El ruido de los disparos sembró la alarma entre los reunidos en la Bodega. Varios contertulios salieron al camino a ver qué ocurría. Los disparos parecían venir del norte, en dirección a las colinas. Pero, pese a la súbita reaparición de la luna, no fue posible ver nada, sino la apresurada luz de los autos en la lejana curva de la carretera.

—¿Habéis visto una lucecilla que se encendía y apagaba? —dijo Ernesto cuando se sentaron.

—Sí. Como si estuvieran buscando alguna cosa.

—¿Qué debe pasar? —preguntó Juana.

—Nada. Contrabando —repuso un pescador viejo.

La gente volvió poco a poco a las mesas y Atila encargó otro porrón de tinto. Desde hacía casi una hora estaba allí, repartiendo amigablemente con todo el mundo, como si nada hubiera ocurrido. Si Heredia no perdía la cabeza, no tenía por qué preocuparse. La presencia de docenas de testigos garantizaban la solidez de la coartada.

Al pasar por el acantilado había arrojado al mar la navaja y el pañuelo sucio de sangre. Sus pantalones tenían una pequeña mancha que eliminó también con agua y jabón. Con ello había suprimido ya todas las pruebas. El corazón le latía casi normalmente y al encender un pitillo su pulso no tembló.

Pablo, en cambio, acumulaba torpeza tras torpeza. Al salir de casa de don Julio se había detenido a vomitar. Lo ocurrido le había trastornado por completo. Para hacerle entrar en razón, Atila necesitó abofetearle. A duras penas, consiguió arrastrarlo hasta la Bodega. Y allí permanecía en un rincón sin probar el vino, pálido como un muerto.

—¿Quieres que te acompañemos a casa? —propuso Juana.

—No, déjale, ya se le pasará —dijo él, fulminándole con los ojos.

El bolsillo interior de su americana abultaba ligeramente a causa de los fajos de billetes. Ahora que tenían el dinero, la cosa no podía malbaratarse por delicados escrúpulos de conciencia.

—Pablo se quedará aquí aunque saque las tripas por la boca.

Juana no replicó. Al llegar, Atila la había besado ante todo el mundo, sin que opusiera resistencia. Pasado el primer momento de temor, se sentía más fuerte y seguro de sí mismo. En adelante, tendría dinero para lucir. Con Juana o sin Juana podría pasearse por todas partes igual que un turista.

Al acabarse el porrón, pidió otro. Aquella era una

noche importante y todo debía desarrollarse con naturalidad, sin que nadie pudiera entrar en sospechas.

Cuando llegó Tarrasa, Atila se levantó para saludarle. Su amigo iba muy peripuesto, con el bigotito recortado y el pelo luciente de brillantina. Con el ajetreo de la tarde había llegado a olvidarse del mensaje recibido en el campo de fútbol, de la entrevista pedida por Celia.

En la mugrienta habitación interior dos extranjeros daban de beber a unos gitanillos. Atila le cogió por el codo y lo llevó hacia un rincón.

—¿Qué? —quiso saber—. ¿Qué cuentas de ella?

Antes de responder, su amigo se arregló calmosamente el nudo de la corbata. Sus luminosos ojos negros sonreían.

—Pues nada —dijo—. Que usa un buen dentífrico.

* * *

En el Casino, la Gala nocturna organizada por los socios se celebró con éxito extraordinario. Además de la orquesta contratada expresamente para el baile, hubo números de canto e ilusionismo, aparte de un orfeón de marinos americanos, cuya destreza arrancó grandes aplausos del público. Todas las damas de la Junta, empezando por la exigente Elvira, estuvieron de acuerdo en decir que jamás habían pasado un rato tan agradable. La actuación de los artistas se caracterizaba no sólo por su habilidad o mérito, sino por su comedimiento y buen gusto. Entre número y número, la orquesta atacaba alguno de sus ritmos y entonces la bulliciosa juventud de los pasillos invadía la pista de baile.

La mesa, gentilmente reservada por Quim, llegó

a resultarles pequeña. Al primitivo grupo de la tarde se habían agregado dos primas de doña Carmen, la cuñada de María Luisa y, finalmente, Florita que, contrastando con la agitación de los últimos días, les pareció serena y reposada.

La velada no fue, por otra parte, sólo diversión, y en ella se tomaron acuerdos importantes. Como Magdalena había dicho muy bien, resuelto el problema de la Vejez, quedaba el no menos grave problema de la Infancia. A propuesta de doña Carmen, la Junta decidió abordar la cuestión con energía durante la próxima campaña.

Luego, inesperadamente, la atmósfera pareció agriarse. Alguien había irrumpido en el salón dando voces y los de las mesas vecinas se levantaron a escucharle. Un malestar extraño se apoderó de los grupos en los pasillos y la alegre música del orfeón resonó, de pronto, inoportuna.

Imitada por las demás damas de la Junta, doña Carmen se puso de pie, también.

A todas luces acababa de ocurrir algo importante.

Barcelona, marzo-agosto de 1956.